MW01068993

QUARTET

INTERMEDIATE JAPANESE ACROSS THE FOUR LANGUAGE SKILLS

SUPERVISOR | TADASHI SAKAMOTO
AUTHORS | AKEMI YASUI / YURIKO IDE / MIYUKI DOI / HIDEKI HAMADA

4技能でひろがる 中級日本語カルテット I

監修 坂本正
著 安井朱美／井手友里子
土居美有紀／浜田英紀

WORKBOOK

ワークブック

4技能でひろがる　中級日本語 カルテット Ⅰ［ワークブック］
Quartet: Intermediate Japanese Across the Four Language Skills I［Workbook］

2019年8月20日　初版発行
2021年9月20日　第3刷発行

監修者：坂本 正
著　者：安井朱美・井手友里子・土居美有紀・浜田英紀
発行者：伊藤秀樹
発行所：株式会社 ジャパンタイムズ出版
〒102-0082 東京都千代田区一番町2-2
一番町第二TGビル2F
電話 (050)3646-9500（出版営業部）

ISBN978-4-7890-1696-4

First edition: August 2019
Third printing: September 2021

English translations: Umes Corp.
Illustrations: Atsushi Shimazu (Pesco Paint)
Layout, typesetting and cover art: Hirohisa Shimizu (Pesco Paint)
Printing: Chuo Seihan Printing Co., Ltd.

Published by The Japan Times Publishing, Ltd.
2F Ichibancho Daini TG Bldg., 2-2 Ichibancho, Chiyoda-ku, Tokyo 102-0082, Japan
Phone: 050-3646-9500
Website: https://jtpublishing.co.jp/

ISBN978-4-7890-1696-4

Printed in Japan

もくじ Contents

第5課

第6課

ブラッシュアップ

■ 初級文法チェック ワーク

■ 漢字チャレンジ ワーク

ワークブックの使い方

このワークブックは、『**中級日本語カルテットⅠ**』(第1課～第6課)の補助教材です。課ごとの「**読み物**」の内容確認と「**文型・表現ノート**」の練習問題、そして、ブラッシュアップセクションの「**初級文法チェック**」「**漢字チャレンジ**」の練習問題が収録されています。

(1) 第1課～第6課

■ 読み物ワーク

「**読み物1**」「**読み物2**」それぞれに A B C の問題があります。

A **○×チェック:** 本文全体の大意が把握できているかを正誤問題で確認します。

B **読みのストラテジー 練習:** その課の「**読みのストラテジー**」の練習です。まずテキストの説明を読んでから、ストラテジーを使って練習問題を解いてください。

C **内容質問:** 本文を精読するための問題です。文構造を問う質問、文どうしのつながりや主旨を問う質問があります。3課までは、質問に合った答え方ができるよう、ヒントとして解答の文末を与えていますが、4課以降、ヒントは徐々に少なくなります。

■ 文型・表現ワーク

A **基本練習:**「文型・表現ノート」のうち、アウトプットまで求める項目(テキストで見出しに★が付いている項目)の基本問題です。与えられた文脈で文を作る練習を行い、使えるようになることを目指します。

B **まとめの練習:** ★の付いていない項目も含め、その課のすべての項目が網羅されています。適当な文型・表現を選んで入れる穴埋め問題、文作成問題、文型・表現を使った作文の3つのタイプの練習があります。★の付いていない項目には、文作成の練習はありません。

C **口頭練習:** 質問に対し、その課で学んだ文型や表現を使って口頭で答える練習問題です。答えを書く必要はありません。

(2) ブラッシュアップ

■ 初級文法チェック ワーク

「初級文法チェック」の理解を確認する問題です。まずこの問題を行って学習者の定着度を確認してから、理解が不十分な箇所についてテキストで確認するのが効果的です。

■ 漢字チャレンジ ワーク

「漢字チャレンジ」の練習問題です。テキストの説明をよく読んでから行ってください。

＊ワークブックの解答例をご希望の方は、「ジャパンタイムズ BOOK CLUB」よりお問い合わせください。

Using This Workbook

This workbook is designed as a companion resource for *QUARTET: Intermediate Japanese Across the Four Skills I* (Lessons 1–6). It provides exercises for checking understanding of 読み物 and practicing the 文型・表現ノート material of each lesson, as well as exercises for 初級文法チェック and 漢字チャレンジ in the Brush-ups section.

(1) Lessons 1–6

■ 読み物ワーク

A set of three exercises (A B C) is provided for each reading, **読み物 1** and **読み物 2**.

A **○×チェック :** These are true-or-false questions for checking your understanding of the reading as a whole.

B **読みのストラテジー 練習 :** These exercises are for practicing the lesson's 読みのストラテジー . You begin by going over the explanation in the textbook so that you can apply the reading strategy when reading the passage.

C **内容質問 :** These exercises challenge you to examine the reading in greater detail through questions on sentence structure, how sentences are connected, and the gist of each section. The questions for Lessons 1–3 show the end of each answer as a clue to help you answer the questions precisely, but these clues are phased out from Lesson 4 onward.

■ 文型・表現ワーク

A **基本練習 :** These are basic exercises that require output (items marked with ✪ in the textbook). You practice producing sentences for the given context in order to consolidate your ability to apply the material.

B **まとめの練習 :** These cover all items in the lesson, including those not marked with ✪, and come in three types: fill-in-the-blank (adding a suitable pattern or expression), sentence formation (not provided for items not marked with ✪), and composition using the target patterns and expressions.

C **口頭練習 :** In these exercises, you orally respond to questions using the patterns and expressions studied in that lesson. You do not need to write your answers.

(2) ブラッシュアップ

■ 初級文法チェック ワーク

These problems check your understanding of 初級文法チェック. An efficient approach is to first go through the exercises to gauge your mastery, and then go back to the textbook to strengthen your weak areas.

■ 漢字チャレンジ ワーク

This is a set of exercises for 漢字チャレンジ. Be sure to thoroughly read the explanation in the textbook before doing this practice.

4技能でひろがる
中級日本語
カルテット Ⅰ
［ワークブック］

QUARTET
INTERMEDIATE JAPANESE ACROSS THE FOUR LANGUAGE SKILLS Ⅰ
[WORKBOOK]

名前 ______________________

読み物1 アニメ映画監督 宮﨑駿

[p. 4]

A 読み物1 ▸ ○×チェック

本文の内容と合うものに○、合わないものに×をつけなさい。

① (　　　) 「となりのトトロ」という映画は、2003年にアカデミー賞を取った。

② (　　　) 大人が宮﨑監督のアニメを見たら、つまらないと思うだろう。

③ (　　　) スタッフは何回も絵を描き直さなければいけないことがある。

④ (　　　) 宮﨑監督は今も朝9時から次の日の朝5時まで仕事をしている。

⑤ (　　　) 宮﨑監督は高校の時にアニメに興味を持つようになった。

B 読みのストラテジー ▸ 練習

読みのストラテジー❶❷ (pp. 6–7) を使って答えなさい。

❶ 名詞修飾 (Noun modification)

[　　] の名詞を修飾する部分はどこからどこまでですか。下線 (underline) を引きなさい。

(1) これは2003年にアカデミー賞を取った[映画]だ。(行 2–3)

(2) 絵もストーリーもすばらしい[彼の作品]は、いつまでも世界中で愛され続けるだろう。(行 17–18)

❷ 指示詞 (Demonstrative words)

「これ」(行 2) は何を指しますか。

______________________________ を指します。

C 読み物1 ▸ 内容(ないよう)質問

1. 「見たことがあるかもしれない」(行 3－4) とありますが、「見る」の主語(しゅご) (subject) はだれですか。

【 a. 宮崎監督(みやざきかんとく)　　b. アニメに興味がある人　　c.「となりのトトロ」を見た人 】

2. 「大人も考えさせられる」(行 5) とありますが、どうして考えさせられるのですか。

____ からです。

3. 「自分が言うとおりに描(か)けるまで」(行 7－8) とありますが、①だれがだれに「言う」のですか。②だれが「描く」のですか。

① ____________________ が ____________________ に言います。

② ____________________ が描きます。

4. 「怒ったこともあるらしい」(行 10) とありますが、①だれが、②どうして、「怒った」のですか。

① ____________________ が怒りました。

② スタッフが描いた肉の絵が ______________________________ からです。

5. 宮崎監督はどうして美しくて芸術的なアニメが作れるのですか。

____ からです。

6. 「愛され続ける」(行 17) とありますが、①何が愛され続けるのですか。②どうしてですか。

① ______________________________ が愛され続けます。

② ____ からです。

7. 「プロフィール紹介」(行 20－24) を読んで、①～⑤の文を完成(かんせい) (to complete) させなさい。

① 宮崎駿(はやお)は 1941 年に ______________________________ で生まれた。

② 高校の時、______________________________ ようになった。

③ 大学を卒業した後、______________________________ に就職した。

④ アニメ映画をたくさん作って、____________________ などにも出品した。

⑤ 2014 年に ______________________________ を取った。

読み物2 ノーベル賞を取った研究者 山中伸弥教授 [p. 5]

A 読み物2 ▸ ○×チェック

本文の内容と合うものに○、合わないものに×をつけなさい。

① (　　　) 山中教授はiPS細胞を作ったので、ノーベル賞をもらった。

② (　　　) 山中教授がiPS細胞を作った後、難しい病気の人を助けられるようになった。

③ (　　　) 山中教授は研究者になる前、病院の医者だった。

④ (　　　) 山中教授は講演の時によく「すまん」と言ってあやまる。

⑤ (　　　) 山中教授は、成功するためには多くの失敗が必要だと考えている。

B 読みのストラテジー ▸ 練習

読みのストラテジー❶❷ (pp. 6–7) を使って答えなさい。

❶ 名詞修飾 (Noun modification)

［　］の名詞を修飾する部分はどこからどこまでですか。下線 (underline) を引きなさい。

(1) iPS細胞というのは、体のいろいろな部分になることができる［細胞］です。(行 2–3)

(2) それが、医者をやめて研究をしようと思った［理由］の一つだったそうです。(行 14–15)

(3) 例えば、医者だった時にした［手術］の話があります。(行 17–18)

(4) これが、彼が多くの人に尊敬されている［理由］なのかもしれません。(行 32–33)

❷ 指示詞 (Demonstrative words)

(1)～(3) の指示詞はそれぞれ何を指しますか。

(1) 「そのこと」(行 10)

＿＿＿＿＿＿＿＿＿＿＿＿＿＿＿＿＿＿＿＿ ことを指します。

(2) 「それ」(行 14)

＿＿＿＿＿＿＿＿＿＿＿＿＿＿＿＿＿＿＿＿＿＿＿＿＿

＿＿＿＿＿＿＿＿＿＿＿＿＿＿＿＿＿＿＿＿ ことを指します。

(3) 「これ」(行 27)

＿＿＿＿＿＿＿＿＿＿ を指します。

名前 ____________________

C 読み物 2 ▶ 内容質問

1. 「ショックを受けました」(行 13－14) の主語はだれですか。

【 a. 病気の人　　b. 山中教授　　c. 多くの人 】

2. 山中教授はどうして「ショックを受けました」(行 13－14) か。

____________________ からです。

3. 山中教授は講演の時に何をするようにしていますか。

____________________ ようにしています。

4. 「不安になった」(行 22－23) の主語はだれですか。

【 a. 友人　　b. 山中教授　　c. 講演を聞いている人 】

5. 山中教授が言っている「人生の目標」とは何ですか。

____________________ です。

6. 「V（Vision）とW（Work hard）」(行 28) は、それぞれどういう意味ですか。

・V（Vision） ____________________

・W（Work hard） ____________________

文型・表現ワーク

A 基本練習

2. ～なら [p. 8]

「～なら」を使って、会話を完成させなさい。

（1） 留学生　　　：ちょっと郵便局に行ってきます。

ホストマザー：________________ なら、切手を買ってきて。

（2） A：ああ、頭が痛い……。

B：________________ 、________________ ほうがいいですよ。

（3） A：あれ？ 私のめがねがない！

B：________________ なら、テレビの上にあったよ。

（4） A：だれを探してるの？

B：グエンさん。一緒にお昼ご飯を食べようって言ってたんだけど。

A：________________ 、________________ よ。

（5） A：この近くに、スーパーはありませんか？

B：スーパーはないですねえ。でも、________________ なら、________________ 。

（6） A：土曜日に映画見に行かない？

B：土曜日はバイトなんだ。________________ 、________________ んだけど…。

（7） A：おいしいケーキが食べたいなあ。

B：________________ 、________________ 。

3. ～とおり（に）／N どおり（に） [p. 10]

「～とおり（に）／N どおり（に）」を使って、文や会話を完成させなさい。

（1） ________________ 【 とおり ・ どおり 】、富士山はきれいだった。

（2） 雨が降らなかったら、予定どおり ________________ 。

（3） 先生が ＿＿＿＿＿＿＿＿＿＿＿＿＿＿＿＿＿＿＿＿＿＿＿＿＿＿＿ 。

（4） A：昨日(きのう)のパーティー、どうだった？

B：思ったとおり、＿＿＿＿＿＿＿＿＿＿＿＿＿＿＿＿＿ よ。

（5） A：日本料理、作ってみたんだって？ どうだった？

B：うーん、＿＿＿＿＿＿＿＿＿＿＿＿＿＿＿ 作ったんだけど、

あまりおいしくなかったんだ。

（6） A：今日のテスト、難しかった？

B：＿＿＿＿＿＿＿＿＿＿＿＿＿＿＿＿＿＿＿＿＿＿＿＿＿＿＿ よ。

4. ～らしい [p. 10]

「～らしい」を使って、文や会話を完成(かんせい)させなさい。

1 ～らしい

（1） うわさでは、＿＿＿＿＿＿＿＿＿＿＿＿＿＿＿＿＿＿＿＿ らしい。

（2） A：ジョージ、今日学校に来てなかったね。どうしたのかな……。

B：＿＿＿＿＿＿＿＿＿＿＿＿＿＿＿＿＿＿＿ らしいよ。

メイリンがそう言ってた。

（3） A：森田(もりた)さん、最近とてもうれしそうだけど、何かあったのかな。

B：＿＿＿＿＿＿＿＿＿＿＿＿＿＿＿＿＿＿＿＿＿＿ よ。

2 （～は）Nらしい

（1） 昔は「力が強く、人に弱(よわ)いところを見せない人が ＿＿＿＿＿ らしい人だ」と考えられていた。

（2） 私はスカートやワンピースみたいな ＿＿＿＿＿ らしい服より、ジーンズのほうが好きだ。

（3） もう10月だが、まだ毎日暑(あつ)くて、全然(ぜんぜん)秋 ＿＿＿＿＿＿＿＿＿＿ 。

5. ～ために／～ための N [p. 12]

「～ために」か「～ための N」を使って、文や会話を完成(かんせい)させなさい。

1 ～ために

(1) ______________________________ ために車を買いたい。

(2) A：何のために日本語を勉強しているんですか。

B：______________________________ しています。

(3) A：何をしに東京(とうきょう)に行くの？

B：______________________________ んだ。

2 ～ための N

(1) キッチンは ______________________ ためのところだ。

(2) A：どうしてそんなにたくさんアルバイトをしてるの？

B：______________________ お金が必要なんだ。

(3) 子：お母さん、これ何？

母：これは缶切(かんき)り (can opener) って言うんだよ。

子：えっ、缶切り？

母：そう。______________________ 道具(どうぐ) (tool) だよ。

7. ～ようになる [p. 13]

「～ようになる」を使って、文や会話を完成(かんせい)させなさい。

(1) 1年日本にいるが、最近やっと日本人の会話が少し ______________ ようになった。

(2) 前はなっとうが食べられなかったが、今は ______________________________ 。

(3) この町に来てから、______________________________ 。

(4) A：大学の図書館は本が5冊(さつ)しか借りられないから、あまり便利(べんり)じゃないよね。

B：そうだね。でも、来月から ______________________ ようになるらしいよ。

(5) A：子どもの時は苦手だったけど、大人になってできるようになったことってある？

B：そうだなあ。______________________________ よ。

名前 ____________________

(6) A：どんなことができるようになりたいですか。

B：________________________。

8. ～ようにする [p. 14]

「～ようにする」を使って、文や会話を完成(かんせい)させなさい。

(1) 漢字の読み方がわからない時は、________________ようにしている。

(2) 発表する時は、________________________たほうがいい。

(3) 風邪(かぜ)をひきたくないので、________________________。

(4) ホストマザー：遅かったね。電話もないから、心配したんだよ。

学生　　　　：すみません。図書館で勉強していたんです。

ホストマザー：帰るのが遅くなる時は、________________ようにしてね。

(5) 先生：作文の宿題は________________ようにしてください。

学生：すみません。これから気をつけます。

(6) A：日本人の友達(ともだち)がほしいんですが、なかなかできないんです。

B：そうですか。じゃあ、________________________どうですか。

9. Nによると [p. 15]

「Nによると」を使って、文や会話を完成(かんせい)させなさい。

(1) 先生によると、来週________________________そうだ。

(2) ニュースによると、________________________そうだ。

(3) ________________、________________________らしい。

(4) A：駅の前に新しいビルが建てられていますね。

B：ええ。駅員さんによると、________________________そうですよ。

(5) A：最近、びっくりするニュースが多いですね。

B：ええ。________________、________________________。

B まとめの練習(れんしゅう)

1. ［　　　］の言葉を使って、文や会話を完成(かんせい)させなさい。同じ言葉は一度しか使えません。

（1） 新聞 ＿＿＿＿＿＿＿＿＿＿ 、日本の経済(けいざい)はよくなっているそうだ。

（2） 部長に言われた ＿＿＿＿＿＿＿＿＿＿ したのに、文句(もんく)を言われてしまった。

（3） 世界で有名な日本の映画 ＿＿＿＿＿＿＿＿＿＿ 、宮崎監督(みやざきかんとく)の映画だろう。

（4） 高校の時、日本人留学生が私の学校に来たこと ＿＿＿＿＿＿＿＿＿＿＿＿＿＿＿ 、日本語を勉強したいと思うようになりました。

（5） 留学生 A： 日本 ＿＿＿＿＿＿＿＿＿ おみやげが買いたいんだけど、何がいいと思う？
留学生 B： 着物はどう？

～といえば	～がきっかけで	～のような	～によると
～らしい	～ようになる	～とおりに	

2. 文や会話を完成(かんせい)させなさい。

（1） ＿＿＿＿＿＿＿＿＿＿＿＿＿＿＿＿＿＿ ためにホストファミリーと毎晩話します。

（2） 電子(でんし)レンジ (microwave) は ＿＿＿＿＿＿＿＿＿＿＿＿＿＿＿＿＿＿＿＿ ためのものだ。

（3） 私は ＿＿＿＿＿＿＿＿＿＿＿＿＿＿＿＿＿＿＿＿＿＿＿＿ ために大学に入りました。

（4） 日本人と話す時は、＿＿＿＿＿＿＿＿＿＿＿＿＿＿＿＿＿＿＿＿ ようにしています。

（5） A： 敬語がなかなか覚(おぼ)えられないんだけど、どうしたらいいかなあ。
B： ＿＿＿＿＿＿＿＿＿＿＿＿＿＿＿＿＿＿＿＿＿＿＿＿＿＿ ようにしたらどう？

（6） 最近日本語が前より ＿＿＿＿＿＿＿＿＿＿＿＿＿＿＿ ようになったので、うれしい。

（7） ＿＿＿＿＿＿＿＿＿＿＿＿＿＿＿＿＿＿＿＿＿＿＿＿＿＿＿＿ ようになりたいから、
＿＿＿＿＿＿＿＿＿＿＿＿＿＿＿＿ ようにしています。

名前 ____________________

(8) 健康のために、________________ ないようにしたほうがいい。

(9) A：________________ によると、________________ らしいよ。

B：えっ、本当？

(10) A：来年日本に留学するんです。

B：日本に留学するなら、________________________________。

(11) A：あーあ、３日も休みがあるのに、何も予定がなくて……。

B：________________ なら、一緒に ________________？

(12) 予定どおりに ________________________________。

(13) 日本に来て、日本は ________________ とおり、________________ 国だと思った。

3. あなたの国では大学生は何のためにアルバイトをしていますか。「～ために」を使って２つ書きなさい。

・____

・____

4. の言葉を 3 つ以上使って、自己紹介を書きなさい。使った言葉に下線(かせん)を引(ひ)きなさい。

～なら	～とおり(に)	～らしい	～ために
～ようになる	～ようにする	～によると	

例　はじめまして、ジョージ・テイラーです。日本語を勉強するために日本に来ました。趣味(しゅみ)はマンガを読むことです。マンガでなら、楽しく日本語が勉強できるので、難しくても毎日読むようにしています。そして、将来は自分でマンガが描(か)けるようになりたいです。ルームメートによると、日本にはマンガの描き方が習える学校があるらしいので、一度行ってみたいです。よろしくお願(ねが)いします。

名前 ______________________

C 口頭練習(こうとうれんしゅう)

(　　　) の表現(ひょうげん)を使って話しましょう。

(1) あなたの国らしいものといえば、何だと思いますか。(～といえば)

(2) (例 おいしい○○料理が食べたい／コーヒーが飲みたい) ____________ んですが、この近くにどこかおすすめ (recommendation) はありませんか。(～なら)

(3) (例 日本語) ____________ の授業はどうですか。(思ったとおり)

(4) 「日本人らしい」とはどんな人だと思いますか。(～らしい)

(5) あなたの国をよくするためには、どんなことをしたらいいと思いますか。(～ために)

(6) 何がきっかけで、日本語を勉強し始めたんですか。(～(の)がきっかけで)

(7) 最近何をするようになりましたか。(～ようになりました)

(8) 卒業するまでに何ができるようになりたいですか。(～ようになりたいです)

(9) 大学生活を楽しむために、何かするようにしていますか。(～ようにしています)

(10) 友達(ともだち)や先生などから、(例 北海道(ほっかいどう)) ____________ について何か聞いたことがありますか。(～によると～らしい)

読み物1 留学先からのメール

[p. 34]

A 読み物1 ▸ ○×チェック

本文の内容(ないよう)と合うものに○、合わないものに×をつけなさい。

① (　　　) ジョージは今、日本にいる。

② (　　　) ジョージは寮(りょう)に住んでいるようだ。

③ (　　　) ジョージの大学は毎年春に異文化交流イベントを行っている。

④ (　　　) 異文化交流イベントでは、留学生が町の人に自分の国についていろいろなことを教える。

⑤ (　　　) ジョージがこのメールを書いたのは２月だ。

B 読みのストラテジー ▸ 練習(れんしゅう)

読みのストラテジー❸❹ (pp. 38–39) を使って答えなさい。

❸ 手紙やメールの本題 (The subject of a letter/e-mail)

(1)　このメールの本題の部分は、何行目から何行目までですか。

________ 行目～ ________ 行目

(2)　このメールの書き手の目的は何ですか。

目的は、____ ことです。

❹ お願いやお礼の表現(ひょうげん) (Expressing requests and gratitude)

(1)　「書いていただけないでしょうか」(行 17–18) とありますが、だれが書きますか。

【 a. 鈴木先生　　b. ジョージ 】

(2)　「2月上旬(じょうじゅん)までに送っていただければ大丈夫(だいじょうぶ)です」(行 18–19) とありますが、

① だれが送りますか。　【 a. 鈴木先生　　b. ジョージ 】

② だれが大丈夫ですか。　【 a. 鈴木先生　　b. ジョージ 】

(3)　「お返事をいただけるとうれしいです」(行 20) とありますが、

① だれが返事がほしいですか。　【 a. 鈴木先生　　b. ジョージ 】

② だれがうれしいですか。　【 a. 鈴木先生　　b. ジョージ 】

名前 ______________________

C 読み物 1 ▸ 内容質問

1. このメールはどの季節に書かれたものですか。はじめのあいさつの段落（行 5−9）を読んで答えなさい。

2. 「そちら」（行 5）とは、どこを指しますか。

______________________ を指します。

3. ジョージはどうしてもっと和食について知りたくなりましたか。

______________________ からです。

4. ジョージはどうして鈴木先生にメールをしましたか。

______________________ からです。

5. 「留学生のインターンシッププログラムがあります」（行 11）とありますが、それはどのようなプログラムですか。

____

______________________ プログラムです。

6. ジョージはどうしてこのインターンシップに申し込むことにしたのですか。

____

______________________ からです。

7. 「突然のメールで申し訳ありませんが」（行 19−20）とありますが、①だれが申し訳ないと思っていますか。②どうしてそう思っているのですか。

① ______________________ が申し訳ないと思っています。

② ______________________ からです。

読み物2 先生への手紙

[p. 37]

A 読み物2 ▶ ○×チェック

本文の内容(ないよう)と合うものに○、合わないものに×をつけなさい。

① (　　) ジョージがこの手紙を書いた時は、まだ寒い季節だった。

② (　　) ジョージはインターンシッププログラムで、日本についての理解が深まった。

③ (　　) ジョージはアルバイトで小学生に英語を教える予定(よてい)だ。

④ (　　) ジョージは日本の大学のペンはつまらないと思っている。

⑤ (　　) ジョージは夏休みが終わったらアメリカに帰る予定だ。

B 読みのストラテジー ▶ 練習(れんしゅう)

読みのストラテジー❸❹ (pp. 38−39) を使って答えなさい。

❸ 手紙やメールの本題 (The subject of a letter/e-mail)

(1) この手紙の本題の部分は、何行目から何行目までですか。

________ 行目～ ________ 行目

(2) この手紙の書き手の目的は何ですか。

目的は、________________________________ ことです。

❹ お願いやお礼の表現(ひょうげん) (Expressing requests and gratitude)

(1) お礼の表現(ひょうげん)の「～てくださって、ありがとうございました」は何行目にありますか。

________ 行目

(2) ジョージは、①だれが、②何をしたことについて、お礼を伝えていますか。

① ________________ が ② ________________________________ ことについてお礼を伝えています。

名前 ____________________

C 読み物2 ▶ 内容質問（ないよう）

1. インターンシップは何月から何月まででしたか。

【 a. 1月下旬（げじゅん）～3月下旬　　b. 3月中旬（ちゅうじゅん）～5月中旬　　c. 4月上旬（じょうじゅん）～6月上旬 】

2. 「すばらしい経験」(行7) を修飾（しゅうしょく）するのはどこからどこまでですか。下線（かせん）を引（ひ）きなさい。

おかげさまで、教科書では学べない［すばらしい経験］ができました。

3. 「日本の文化について新しい発見もできました」(行10) とありますが、ジョージはどんなことを発見しましたか。

____________________ ということを発見しました。

4. 「そこ」(行12) はどこを指（さ）しますか。

____________________ を指します。

5. どうしてジョージは別の国際交流活動を始めることになったのですか。

____________________ からです。

6. 「気に入っていただけたらうれしいです」(行17–18) とありますが、①だれが何を気に入るのですか。②「うれしい」の主語はだれですか。

① __________ が __________ を気に入ります。

② 【 a. 鈴木先生　　b. ジョージ 】

7. 「楽しみにしています」(行19–20) とありますが、だれが何を楽しみにしていますか。

__________ が __________ を楽しみにしています。

8. 「佐藤（さとう）先生にもよろしくお伝えください」(行21) とありますが、①だれが、②だれに、「よろしく」と伝えますか。③この「よろしく」はだれからのあいさつですか。

① __________ が ② __________ に「よろしく」と伝えます。

③ __________ からのあいさつです。

文型・表現ワーク

A 基本練習

2. ～てくる／～ていく [p. 40]

「～てくる」か「～ていく」を使って、文を完成させなさい。(1) と (2) は絵を見て答えなさい。

(1) 今、５月です。最近 ____________________ ました。

これからもっと ____________________ でしょう。

海に行くのが楽しみです。

(2) ストレスで最近あまり食べられないので、

このごろ ____________________ 。

(3) テクノロジーのおかげで、これから私たちの生活はもっと

____________________ でしょう。

(4) 日本では結婚しない人が増えているので、将来子どもの数が

____________________ と思います。

(5) 前は敬語が話せませんでしたが、アルバイトを始めてから

敬語が ____________________ 。

3. しか～ない [p. 41]

「しか～ない」を使って、文や会話を完成させなさい。

(1) 私は __________ を ________（　　　counter　　　）しか持っていません。

(2) 先生：プリントは全部で３枚です。みなさん、３枚ありますか。

学生：すみません。________ しか ____________________ 。

(3) 昨日 __________ しか ____________________ ので、今日の試験はあまりできなかった。

(4) 「お子様メニュー」は ______ しか ______ 。

(5) 先生　：ゴミスさん、もう日本でいろいろなところに行きましたか。

ゴミス：いいえ、まだ東京(とうきょう)（　　）しか ______ ので、
particle

今度の休みはもっといろいろなところに行きたいです。

(6) A：あれ、この店閉(し)まってる。朝は開いていたのに……。

B：夜はやっていなくて、３時 ______ みたいだよ。

(7) A：家族に日本のものを送りたいんだけど、何がいいと思う？

B：______ はどう？ 日本 ______ からいいと思うよ。

4. ～ことにする [p. 43]

「～ことにする」か「～ことにしている」を使って、文や会話を完成(かんせい)させなさい。

(1) 来学期、______ ことにしました。

(2) 日本語の勉強のために ______ ことにしています。

(3) 旅行に行った時は、必ず ______ 。

(4) A：来学期もアルバイトするの？

B：ううん。今学期はアルバイトをしすぎて勉強する時間がなくなってしまった

から、来学期はアルバイトを ______ ことにしたよ。

(5) 先生：ルームメートとよく日本語で話しますか。

学生：はい。______ ことにしています。

(6) A：健康(けんこう)のために、何か気をつけていますか。

B：ええ、______ 。

6.「おかげ」を使った表現(ひょうげん) [p. 45]

「おかげ」を使って、文や会話を完成(かんせい)させなさい。

(1) ホストマザーが ＿＿＿＿＿＿＿＿ おかげで、遅刻(ちこく)しなかった。

(2) この大学に入れたおかげで、＿＿＿＿＿＿＿＿。

(3) 友達が ＿＿＿＿＿＿＿＿ で、＿＿＿＿＿＿＿＿ ことができた。

(4) 店長：小川(おがわ)さん、もうけがは大丈夫(だいじょうぶ)ですか。

小川：ええ、＿＿＿＿＿＿＿＿、歩けるようになりました。

(5) ホストファーザー：昨日(きのう)のスピーチの発表、うまくいきましたか。

留学生　　：＿＿＿＿＿＿＿＿ おかげで、

＿＿＿＿＿＿＿＿。

7. X ば X ほど Y [p. 46]

「～ば～ほど」を使って、文や会話を完成(かんせい)させなさい。

(1) 住む家は ＿＿＿＿＿＿＿＿ ば ＿＿＿＿＿＿＿＿ ほどいいです。

(2) パーティーは ＿＿＿＿＿＿＿＿ ば ＿＿＿＿＿＿＿＿ ほど楽しいです。

(3) ＿＿＿＿＿ は ＿＿＿＿＿＿＿＿ ば ＿＿＿＿＿＿＿＿ ほど ＿＿＿＿＿＿＿＿。

(4) 店員：こちらの旅行かばんはいかがですか。

客(きゃく)　：これはちょっと……。＿＿＿＿＿＿＿＿ ば ＿＿＿＿＿＿＿＿ ほどいいんですが。

(5) A：日本の歴史(れきし)はおもしろいですね。

B：ええ。＿＿＿＿＿＿＿＿ ば、＿＿＿＿＿＿＿＿ ほどおもしろくなりますね。

(6) A：どうすれば ＿＿＿＿＿＿＿＿ が上手になりますか。

B：＿＿＿＿＿＿＿＿。

名前 ______________________

9. ～ことになる [p. 47]

A. 「～ことになる」か「～ことになっている」を使って、文や会話を完成(かんせい)させなさい。

(1) アメリカでは、車は道の右側(みぎがわ) (right side) を走る ______________________ 。

(2) 日本では家に入る時、______________________ 。

(3) ____________ では、______________________ ないことになっています。
(place)

(4) 客(きゃく)　　：すみません。写真を撮(と)ってもいいですか。

美術館の人：申し訳ございません。______________________ ます。

(5) 会社の人：金曜日の４時に面接(めんせつ)に来られますか。

学生　　：すみません。その時間は大学の先生に ______________________ ので、別の日にしていただけませんか。

(6) 学生：先生のおかげで、______________________ ました。

先生：それはよかったですね。

B. 「～ようにする」「～ようになる」「～ことにする」「～ことになる」の中から適当(てきとう)なものを使って、文を完成(かんせい)させなさい。

(1) お酒を飲みすぎると体に悪いので、なるべく飲まない ______________________ ているのですが、居酒屋に行くと飲みすぎてしまいます。

(2) 日本の生活を経験するために、日本に留学する ______________________ ました。

(3) 日本語のクラスでは英語を話してはいけない ______________________ ています。

(4) 学生は学期の最後に期末試験を受ける ______________________ ています。

(5) アニメを見て、日本に興味を持つ ______________________ ました。

(6) 私は曜日で着る服を決めていて、月曜日はピンクのシャツを着る ______________________ ています。

B まとめの練習

1. の言葉を使って、文や会話を完成させなさい。必要なら形を変えなさい。同じ言葉は一度しか使えません。

(1) いろいろな国の留学生がいるのが ________ て、この大学に入った。

(2) 絵理さんは歌が上手で、まるで歌手 ________ 。

(3) 先生　：宿題の作文を返します。Aさん、助詞の間違いがいくつかありましたよ。

学生A：すみません。書いている時は、なかなか間違いに ________ んです。

(4) 私が目上の人と話す時に ________ ていることは、丁寧に話すことです。

～ようだ	～ほど	気がつく	気をつける	気に入る

2. から一番いい言葉を選んで、正しい形にして書きなさい。

(1) 私は日本語を勉強するために留学する ________ 。

(2) 前は興味がなかったが、最近、よく日本の音楽を聞く ________ 。

(3) 新しい文法を練習するために、これからは作文で使う ________ たい。

(4) A：うれしそうですね。何かいいことがあったんですか。

B：実は、さっき面接の結果が来て、奨学金がもらえる ________ んです。

(5) 日本人：日本語のクラスでは、英語を話してはいけないの？

あなた：うん、クラスでは日本語で話す ________ ているよ。

～ことにする	～ことになる	～ようにする	～ようになる

名前 ____________________

3. 文や会話を完成(かんせい)させなさい。

(1) 最近 ____________ ので、だんだん ____________ てきた。

(2) 前はできませんでしたが、最近 ____________ てきました。

(3) 世界の経済(けいざい)は、これから少しずつ ____________ ていくでしょう。

(4) 外国に行けば行くほど、____________。

(5) レストランの料理は ____________ ば ____________ ほど、____________。

(6) 【ホストファミリー・友達・先生】が ____________ おかげで、日本語が上手になりました。

(7) A：お金貸してくれない？

B：ごめん、今 ________ しか ________ から、________んだ。

(8) 私の国でしか ____________ ものは、____________ です。

(9) 〈て-form をフォーマルな表現(ひょうげん)にしなさい〉

図書館に行って、少し勉強して、本を３冊(さつ)借りて、家に帰った。

→ 図書館に ________、少し ________、本を３冊 ________、家に帰った。

4. 前にお世話になった日本語の先生や日本人のホストファミリーに、[　　　] の言葉を3つ以上使ってお願いのメールを書きなさい。使った言葉に下線(かせん)を引(ひ)きなさい。

〜てくる／〜ていく	しか〜ない	〜ことにする
〜おかげで	〜ば〜ほど	〜ことになる

例

件名(けんめい)：スピーチについてのお願い

田中(たなか)先生、

先学期のスピーチクラスでお世話になったテイラーです。クラスでスピーチをすればするほど日本語が上手になるのがわかり、勉強が楽しくなりました。先生のおかげです。ありがとうございました。

実は、今日はお願いがあってメールを書いています。来月、町のスピーチコンテストに出ることになったのですが、一度私のスピーチを聞いてコメントをいただけないでしょうか。

お忙しいところ申し訳ありませんが、よろしくお願いいたします。

ジョージ・テイラー

件名：

名前

C 口頭練習（こうとうれんしゅう）

（　　）の表現（ひょうげん）を使って話しましょう。

(1) 最近、何か上手になってきたことがありますか。（～てきました）

(2) あなたの【国・町】でしかできないことは何だと思いますか。（しか～ない）

(3) 休みの日は何を【することにしていますか ／ しないことにしていますか】。

(4) 「初級（しょきゅう）の日本語」と「中級（ちゅうきゅう）の日本語」の違いに何か気がつきましたか。（～に気がつく）

(5) 日本の【もの・場所・食べ物】で、何か気に入っているものはありますか。
それはどうしてですか。（～が気に入っています）

(6) 家族や友達など、「だれかのおかげでできた」と思うことについて教えてください。
（おかげで）

(7) 旅行でどこに行くかを決める時に大切なことは何ですか。どんなところがいいですか。
（～ば～ほどいいです）

(8) うれしくて、「まるで夢のようだ」と思った経験がありますか。
（～時、まるで夢のようだと思いました）

(9) 寮（りょう）やホストファミリーの家など、今住んでいるところのルールを教えてください。
（～ことになっています）

読み物 1 留学生のための富士登山ガイド

[p. 70]

A 読み物 1 ▶ ○×チェック

本文の内容と合うものに○、合わないものに×をつけなさい。

① (　　　) 富士山は日本の象徴で、人々に愛されている。

② (　　　) 山小屋は冬には開いていない。

③ (　　　) 山頂で日の出を見たければ、ツアーに申し込まなければいけない。

④ (　　　) 夏に富士山に登る時も、暖かい服を持っていったほうがいい。

⑤ (　　　) 富士山にはトイレとゴミ箱がない。

B 読みのストラテジー ▶ 練習

読みのストラテジー ❺ (p. 74) を使って答えなさい。

❺ 段落の要旨を表す文 (Sentences describing the gist of a paragraph)

第 3・4・6・7 段落の問いかけ文とその答えを書き、下のアウトラインを完成させなさい。

第 1 段落 はじめに：富士山についての情報

第 2 段落 この文章に書いてあること：富士登山のために役立つ情報

第 3 段落 問いかけ文

………………………………………………か。

→ 答え (　　　　　　) から (　　　　　　) まで

(　　　　　　　　　　) ルート

第 4 段落 問いかけ文

………………………………………………か。

→ 答え 吉田ルートは (　　　　) 時間

第 6 段落 問いかけ文

………………………………………………か。

→ 答え (　　　　　　) (　　　　　　) (　　　　　　)

第 7 段落 問いかけ文

………………………………………………か。

→ 答え (　　　　　　) が少ないことと (　　　　　　) がないこと

名前 ＿＿＿＿＿＿＿＿＿＿＿＿＿＿＿＿

C 読み物1▶内容質問(ないよう)

1. 「外国からの登山客も多くなってきています」(行7－8) とありますが、それはどうしてですか。

＿＿＿＿＿＿＿＿＿＿＿＿＿＿＿＿＿＿＿＿＿＿＿＿＿＿＿＿＿＿ からです。

2. 登山バスに乗れるのはいつですか。

3. 吉田(よしだ)ルートで登って山頂で「ご来光(らいこう)」を見たい人は、一般的にどうしますか。

4. 「初めて登る人でも安心です」(行25－26) とありますが、どうすれば安心ですか。

＿＿＿＿＿＿＿＿＿＿＿＿＿＿＿＿＿＿＿＿＿＿＿＿＿＿＿＿＿＿ ば安心です。

5. 富士山(ふじさん)に登る時には、①どんな靴(くつ)が必要ですか。②それはどうしてですか。

① ＿＿＿＿＿＿＿＿＿＿＿＿＿＿＿＿＿＿ が必要です。

② ＿＿＿＿＿＿＿＿＿＿＿＿＿＿＿＿＿＿ からです。

6. 「その時に行っておいたほうがいい」(行36) とありますが、①「その時」とはどんな時を指(さ)しますか。②どこに行っておいたほうがいいのですか。

① ＿＿＿＿＿＿＿＿＿＿＿＿＿＿＿＿＿＿ 時を指します。

② ＿＿＿＿＿＿＿＿＿＿＿＿＿＿＿＿＿＿ ほうがいいです。

7. 「登山客が守るべきルール」(行38) とは、どんなことですか。

＿＿＿＿＿＿＿＿＿＿＿＿＿＿＿＿＿＿＿＿＿＿＿＿＿＿＿＿＿＿ です。

読み物2 居酒屋 ～日本らしさが感じられる場所～ [p. 73]

A 読み物2 ▶ ○×チェック

本文の内容と合うものに○、合わないものに×をつけなさい。

① (　　) 居酒屋では食事もお酒も楽しむことができる。
② (　　) 会社員はあまり居酒屋に行かないようだ。
③ (　　) 居酒屋にはお酒に合う料理しかない。
④ (　　) 飲み放題の料金を払えば、店が閉まるまでお酒が好きなだけ飲める。
⑤ (　　) 多くの居酒屋にはグループで集まる時に便利な部屋がある。

B 読みのストラテジー ▶ 練習

読みのストラテジー❺ (p. 74) を使って答えなさい。

❺ 段落の要旨を表す文 (Sentences describing the gist of a paragraph)

第2～4段落の中心文を書いて、下のアウトラインを完成させなさい。

第1段落 はじめに：文章全体のテーマ
居酒屋の特徴から魅力を考える。

第2段落 一つめの特徴は
……………………………………………………。

第3段落
……………………………………………………。

第4段落
……………………………………………………
……………………………………………………。

第5段落 まとめ：文章全体のテーマ、居酒屋の魅力に戻る
「おいしい料理やお酒が安く楽しめ、交流が深められる場所」＝「居酒屋」

名前 ＿＿＿＿＿＿＿＿＿＿＿＿＿＿＿＿

C 読み物 2 ▸ 内容(ないよう)質問

1. 居酒屋はどんな人に人気がありますか。

＿＿＿＿＿＿＿＿＿＿＿＿＿＿＿＿＿＿＿＿＿＿＿＿＿＿＿＿＿＿ に人気があります。

2. 2 段落目には、居酒屋と普通の飲食店では何が違うと書かれていますか。2 つ書きなさい。

① ＿＿＿＿＿＿＿＿＿＿＿＿＿＿＿＿＿＿＿＿＿＿＿＿＿＿＿＿＿＿ ことです。

② ＿＿＿＿＿＿＿＿＿＿＿＿＿＿＿＿＿＿＿＿＿＿＿＿＿＿＿＿＿＿ ことです。

3. 「あまりお金がない時でも安心して食べたり飲んだりできる」(行 19－20) とありますが、それはどうしてですか。

＿＿＿＿＿＿＿＿＿＿＿＿＿＿＿＿＿＿＿＿＿＿＿＿＿＿＿＿＿＿ からです。

4. 「飲み放題」(行 21) とは何ですか。

＿＿＿＿＿＿＿＿＿＿＿＿＿＿＿＿＿＿＿＿＿＿＿＿＿＿＿＿＿＿＿＿＿＿

＿＿＿＿＿＿＿＿＿＿＿＿＿＿＿＿＿＿＿＿＿＿＿＿＿＿＿＿＿＿ のことです。

5. どうして居酒屋はグループで集まるのに便利(べんり)なのですか。

＿＿＿＿＿＿＿＿＿＿＿＿＿＿＿＿＿＿＿＿＿＿＿＿＿＿＿＿＿＿ からです。

6. 「打ち上げ」(行 28) とは何ですか。

＿＿＿＿＿＿＿＿＿＿＿＿＿＿＿＿＿＿＿＿＿＿＿＿＿＿＿＿＿＿ のことです。

7. 「そういう集まり」(行 29－30) とは何を指(さ)しますか。

＿＿＿＿＿＿＿＿＿＿＿＿＿＿＿＿＿＿＿＿＿＿＿＿＿＿＿＿＿＿ を指します。

文型・表現ワーク

A 基本練習

1. ～うちに [p. 75]

「～うちに」を使って、文や会話を完成させなさい。

(1) 学生のうちに、________________________________ ほうがいい。

(2) かさを持っていないので、________________________ うちに帰りたいです。

(3) 自分の国ではできないから、日本にいる ________________________________ 。

(4) 大川：おいしそうですね。このスープ、上田さんが作ったんですか。

上田：ええ。________________________ うちに、食べてください。

(5) A：留学説明会は来週の月曜日の３時からだって。

B：月曜日の３時ね。________________________ うちにメモをしておこう。

(6) A：もうすぐ休みが終わるね。新学期は忙しくなりそうだなあ……。

B：そうだね。____ 。

3. N にとって [p. 76]

「N にとって」を使って、(1) と (2) は文を完成させ、(3) と (4) は質問に答えなさい。

(1) 大学生にとって一番便利なものは ________________________________ です。

(2) ____________________ は、私の国の人にとって特別な ____________________ です。

(3) A：留学生にとって難しいことはどんなことだと思いますか。どうしてですか。

B：____ 。

____ からです。

(4) A：あなたにとって一番大切なことは何ですか。どうしてですか。

B：____ 。

____ からです。

4. Nとして [p. 77]

「Nとして」を使って、文や会話を完成させなさい。

(1) 子ども：この新聞紙、集めた後どうなるの？

父　：リサイクルされて、＿＿＿＿＿＿＿＿として使われるんだよ。

(2) A：山田さんは今、ベトナムにいるそうですね。何をしているんですか。

B：＿＿＿＿＿＿＿＿ているそうですよ。（山田さん＝日本語の先生）

(3) 私の将来の夢は＿＿＿＿＿＿として＿＿＿＿＿＿＿＿ことです。

(4) 京都は＿＿＿＿＿＿＿＿＿＿＿＿町として有名です。

(5) 私の【国・町】は＿＿＿＿＿＿＿＿＿＿＿＿知られています。

7. ～べきだ／べきではない [p. 78]

「～べきだ」か「～べきではない」を使って、文や会話を完成させなさい。

(1) 政治家は＿＿＿＿＿＿＿＿＿＿＿＿＿＿＿＿べきだ。

(2) 授業中は＿＿＿＿＿＿＿＿＿＿＿＿＿＿べきではない。

(3) 【子ども・親】は＿＿＿＿＿＿＿＿＿＿べきではないと思う。

＿＿＿＿＿＿＿＿＿＿＿＿＿＿＿＿＿＿からだ。

(4) 健康のためには、＿＿＿＿＿＿＿＿＿＿＿＿＿＿＿＿。

(5) A：田中さんに借りた本を少し汚しちゃったんだけど、

新しいのを買って＿＿＿＿＿＿＿＿べきかな。

B：うん、そうしたほうがいいと思うよ。

(6) A：若いうちに、何をしておいたほうがいいと思いますか。

B：＿＿＿＿＿＿＿＿＿＿＿＿＿＿＿＿＿＿＿＿。

8. ～からといって [p. 79]

「～からといって」を使って、文や会話を完成(かんせい)させなさい。

(1) A：来週、国の友達が日本に来るんだ。授業をサボって一緒(いっしょ)に遊(あそ)びに行きたいなあ。

B：＿＿＿＿＿＿＿＿＿＿ からといって、授業をサボってはいけないよ！

(2) A：ジョージが絵理(えり)ちゃんに「新しい髪型(かみがた)、こわいね」って言ったんだって。「かわいい」と間違えたらしいよ。あっはははは。あー、おもしろい。

B：おもしろいからといって、人の間違いを ＿＿＿＿＿ ないほうがいいよ。ジョージもがんばって日本語を話しているんだから。

(3) A：天気予報で今日は晴(は)れだって言ってたのに、雨が降ってきた……。

B：＿＿＿＿＿＿＿＿＿＿＿＿＿＿＿＿＿＿＿＿ からといって

＿＿＿＿＿＿＿＿＿＿ とは限らないんだね。

(4) 失敗(しっぱい)したからといって ＿＿＿＿＿＿＿＿＿＿＿＿＿＿＿ ください。

(5) いい大学を卒業したからといって、＿＿＿＿＿＿＿＿＿＿＿＿＿＿ 。

(6) ＿＿＿＿＿＿＿＿＿＿＿＿＿＿＿＿＿＿＿＿ とは限らない。

9. ～とは限らない [p. 80]

「～とは限らない」を使って、文や会話を完成(かんせい)させなさい。

(1) A：日本の大学生はみんなアルバイトをしていますね。

B：アルバイトをしている人は多いですが、必ずしも

日本の大学生 ＿＿＿＿＿＿＿＿＿＿＿＿＿＿ とは限りませんよ。

(2) A：日本人はよく海外旅行に行きますね。日本人はみんな外国に行くのが好きなんですか。

B：いいえ、日本人 ＿＿＿＿＿＿＿＿＿＿＿＿＿＿＿ 限りませんよ。

(3) A：グエンさんの親は社長らしいよ。グエンさんも将来社長になるのかな？

B：＿＿＿＿＿＿＿＿＿＿＿＿＿＿＿＿＿＿＿＿＿＿ よ。

(4) 若いからといって、＿＿＿＿＿＿＿＿＿＿＿＿＿＿＿とは限りません。

(5) 頭(あたま)がよくても＿＿＿＿＿＿＿＿＿＿＿＿＿＿＿限らない。

(6) 私の国の人（＿＿＿＿人）は＿＿＿＿＿＿＿＿＿＿と言われますが、

＿＿＿＿＿人がみんな＿＿＿＿＿＿＿＿＿＿＿＿＿＿。

10. ～のに [p. 80]

「～のに」を使って、文や会話を完成(かんせい)させなさい。

(1) インターネットは＿＿＿＿＿＿＿＿＿＿＿＿＿＿＿のに便利(べんり)だ。

(2) 留学に申し込むのに必要なものは＿＿＿＿＿＿＿＿＿＿＿＿＿＿。

(3) ＿＿＿＿＿＿＿＿は＿＿＿＿＿＿＿＿＿＿＿＿＿のに役に立つ。

(4) A：＿＿＿＿＿＿＿＿＿＿のに、たいていどのぐらいかかりますか。

B：＿＿＿＿＿【分・時間】ぐらいです。

(5) A：クイズです。これは道具(どうぐ) (tool) です。この道具は＿＿＿＿＿＿＿＿＿のに使うものです。これは何でしょう。

B：それは＿＿＿＿＿＿＿＿＿＿＿ですか。

A：そうです。

B まとめの練習

1. [　　　] の言葉を使って、文を完成させなさい。同じ言葉は一度しか使えません。

(1) 相談できる友達は、若い人 ＿＿＿＿＿＿＿＿ 大切なものだ。

(2) 私の町で有名な食べ物は ＿＿＿＿＿＿＿＿ うどんです。

(3) 私は旅行者 ＿＿＿＿＿＿＿＿ 日本に来たので、働くことができません。

(4) このICカードは、日本全国の電車に乗る ＿＿＿＿＿＿＿＿ 使えます。

(5) 先生 ＿＿＿＿＿＿＿＿ 、教え方が違う。

(6) 病気 ＿＿＿＿＿＿＿＿ 、1カ月仕事を休むことになった。

～にとって	～のに	～によって	～として
～ため	～からといって	何と言っても	

2. 例と同じ意味の「ため」を使っているものに○をつけなさい。

例　台風が近づいているために、風が強くなっている。

(1) 暑さのためにダム (dam) の水が少なくなっている。　(　　)

(2) 来年日本へ行くためにアルバイトをしています。　(　　)

(3) 東京は地下鉄が多いために車がなくても不便ではない。　(　　)

(4) やせるためにダイエットをしすぎるのはよくないだろう。　(　　)

(5) 朝、時計のアラームが鳴らなかったために遅刻してしまった。　(　　)

名前 ________________

3. 文や会話を完成させなさい。

(1) A：日本の子どもはみんなゲームをしますか。

B：いいえ、必ずしも日本の子ども ________________ とは限りません。

(2) A：外国に住めば、みんなその国の言葉ができるようになると思いますか。

B：いいえ、________________ 限 ________ と思います。

(3) 子どものうちに、________________ べきだ。

(4) 両親が ________ うちに、________________ てあげたいです。

(5) 日本語が上手になりたかったら、________________ べきだ。

(6) ________ (place) では ________________ べきではない。

(7) 私にとって大切なものは、________________ 。

(8) 子どもにとって難しいことは、________________ 。

(9) 試験がないからといって、________________ べきではない。

(10) 日本人だからといって、________________ とは限らない。

(11) 私は卒業後、________ として日本【で・に】________________ たい。

(12) 彼は前に ________ として ________________ ことがあるそうだ。

(13) 私は ________________ を ________________ のに使っている。

4. ［　　］の言葉を 3 つ以上使って、「私の国／町らしさが感じられるもの・こと・ところ」について書きなさい。使った言葉に下線(かせん)を引(ひ)きなさい。

～うちに　～にとって　～として　～べき
～からといって　～とは限らない　～のに

例　日本らしさが感じられるものといえば、何と言っても桜(さくら)だろう。桜は日本人にとって大切な花で、日本の春の象徴として知られている。桜が楽しめる期間はとても短い。だから、今日きれいに咲(さ)いているからといって、明日もまだ花が残っているとは限らないのだ。いつ見られなくなってしまうかわからない点も桜の魅力(みりょく)かもしれない。

名前

C 口頭練習

(　　)の表現を使って話しましょう。

(1) 今学期のうちに何をしておきたいですか。(〜うちに)

(2) あなたの【国・出身の町】で有名な【物・食べ物・場所・人】を、友達に紹介しなさい。(何と言っても)

(3) あなたにとって一番大切な時間は、何をする時間ですか。(〜にとって)

(4) あなたの国はどんな国として知られていますか。
(【〜が有名な国・〜がある国】として)

(5) 「文化によって違う」と思った経験はありますか。(〜によって)

(6) 外国語が上手になりたかったら、どうすればいいと思いますか。
(〜べきです／〜べきではありません)

(7) 時間がないからといって、してはいけないことは何ですか。(〜からといって)

(8) 日本人にはどんなイメージがありますか。日本人はみんなそのイメージどおりでしたか。(必ずしも〜とは限らない)

(9) スマホをよく使いますか。何をするのに使いますか。(〜のに)

読み物1 座談会 ～留学を語る～ [p. 102]

A 読み物1 ▸ ○×チェック

本文の内容と合うものに○、合わないものに×をつけなさい。

① (　　　) パクさんは、日本語や日本の文化を学ぶ時に一番大切なのは授業だと思っている。

② (　　　) 高橋(たかはし)さんは、留学先に世界中から来た人がいて、いろいろな価値観の人に会えた。

③ (　　　) 本田(ほんだ)さんは、留学は視野を広げられるチャンスになると思っている。

④ (　　　) ゴミスさんは日本に来たばかりの時、日本語の問題でストレスを感じていた。

⑤ (　　　) 高橋さんによると、留学した人は卒業する前に就職活動ができないそうだ。

B 読みのストラテジー ▸ 練習(れんしゅう)

読みのストラテジー❻ (p. 106) を使って答えなさい。

❻ 強調構文(きょうちょうこうぶん)「Xのは Y だ」(Emphatic construction: X のは Y だ)

「Xのは Y だ」の強調構文(きょうちょうこうぶん)を、普通の文に書(か)き換(か)えなさい。

例　私が週末に食べたのはすしだ。 → 私は週末にすしを　食べた。

(1) 他の国の言語や文化を学ぶ時に一番重要なのは、何よりも実際に経験することです。(行 13－14)

→ ＿＿＿＿＿＿＿＿＿＿＿＿ は、他の国の言語や文化を学ぶ時に何よりも一番重要です。

(2) 留学する時に問題になるのは、何と言ってもお金のことでしょう。(行 27)

→ ＿＿＿＿＿＿＿＿＿＿ は、何と言っても留学する時に問題になります。

名前 ______________________

C 読み物 1 ▸ 内容質問

1. 留学について、4人の学生はそれぞれどんな意見を持っていますか。意見の違いに気をつけながら、下のまとめを完成させなさい。

A よい点

ゴミス ・日本語が ______________________ こと

パク ・自分から ______________ 行動すればするほど、日本のことをもっと ______________ ことができること

高橋 ・______________ に触れられること

・日本や自分自身を ______________ ようになること

本田 ・経験を積んで、自分の ______________ ことができること

・自分に ______________ がつくこと

B 気をつけるべきこと

パク ・留学する時に問題になるのは ______________ こと

ゴミス ・気持ちが伝えられなくて ______________ を感じることが多いこと

本田 ・卒業が ______________ かもしれないこと

高橋 ・日本の場合は、______________ の時期と ______________ の時期が重なってしまうこと

2. ゴミスさんは、留学すると特に何が早く上手になると言っていますか。それはどうしてですか。

3. 「このような経験」(行 21) とは、どのような経験ですか。

4. ゴミスさんは、ホームシックになりたくなかったら何をしたほうがいいと考えていますか。

5. 日本の就活が海外の就活と違うのはどのような点ですか。

読み物2 留学生の日本体験

[p. 105]

A 読み物2 ▶ ○×チェック

本文の内容と合うものに○、合わないものに×をつけなさい。

① (　　　) ワンさんはアルバイトをする前から、日本のホテルのトレーニングを受けたいと思っていた。

② (　　　) アルバイトの1日目は、ホールに出ておじぎやあいさつをした。

③ (　　　) アルバイトは社員と同じようにお客にサービスをしなければいけないことになっている。

④ (　　　) ワンさんによると、ホールスタッフの仕事は、働く前に考えていたものより大変ではなかった。

⑤ (　　　) ワンさんによると、早く来て準備したり、忙しい時に残って働く社員は多い。

B 読みのストラテジー ▶ 練習

読みのストラテジー❼ (p. 107) を使って答えなさい。

❼ 動詞の形(かたち)と動作主(どうさしゅ) (Verb forms and agent)

下線(かせん)の表現について、それぞれ質問の答えを【　　】の中から選びなさい。

(1) 何度も練習させられた。(行9)

① どんな形(かたち)ですか。【 a. 受身形(うけみけい) (passive)　b. 使役受身形(しえきうけみけい) (causative-passive) 】

② だれが練習しましたか。【 a. ワンさん(筆者(ひっしゃ))　b. 社員や先輩(せんぱい)スタッフ　c. 客 】

(2) ホールに出してもらえることになった。(行16)

① どんな形ですか。【 a. V てもらう　b. 使役形(しえきけい) (causative) ＋てもらう 】

② だれがホールに出しますか。【 a. ワンさん(筆者)　b. 社員や先輩スタッフ　c. 客 】

③ だれがホールに出ますか。【 a. ワンさん(筆者)　b. 社員や先輩スタッフ　c. 客 】

(3) 頼まれる前に入れに行かなければならない。(行21−22)

① どんな形ですか。【 a. 受身形　b. 使役形　c. 使役受身形 】

② だれが頼みますか。【 a. ワンさん(筆者)　b. 社員や先輩スタッフ　c. 客 】

名前 ____________________

C 読み物 2 ▸ 内容質問

1. 筆者（ひっしゃ）はどうしてアルバイト先としてホテルを選んだのですか。理由を 2 つ書きなさい。

① ____________________

② ____________________

2. 「その理由」(行 10) の「その」は何を指（さ）しますか。

3. 「お客様の様子をよく見て笑顔で対応しなければならない」(行 19－20) とは、例えば、どのようにすることですか。本文の例を使って説明しなさい。

お客様のグラスを見て、水が少なくなっていたら、

____

4. 日本人の勤勉さについて、筆者が一番驚いたことは何ですか。

5. 筆者はレストランのアルバイトをして、何を知ることができましたか。3 つ書きなさい。

① ____________________

② ____________________

③ ____________________

文型・表現ワーク

A 基本練習

1. ～以来 [p. 108]

「～以来」を使って、文や会話を完成させなさい。

（1） 大学に入って以来、＿＿＿＿＿＿＿＿＿＿＿＿＿＿＿＿ようになった。

（2） この町に引っ越してきて以来、ずっと＿＿＿＿＿＿＿＿＿＿＿＿＿【ている・でいる】。

（3） ＿＿＿＿＿＿を買って以来、＿＿＿＿＿＿＿＿＿＿＿＿＿＿＿＿＿＿＿。

（4） 大木：あっ、山田さん、久しぶり！

山田：あっ、大木さん！ 本当に久しぶりですね。＿＿＿＿＿＿＿＿＿＿以来会っていませんよね。

（5） A：日本語の勉強を始めてから何か変わったことがありますか。

B：＿＿＿＿＿＿＿＿＿＿以来、＿＿＿＿＿＿＿＿＿＿＿＿＿＿＿＿。

3. せっかく [p. 109]

「せっかく」を使って、文や会話を完成させなさい。

（1） せっかく新しい文法を習ったんだから、＿＿＿＿＿＿＿＿＿＿＿＿ほうがいい。

（2） せっかく＿＿＿＿＿＿＿＿＿＿＿＿＿＿＿＿＿んだから、楽しんでください。

（3） A：京都に行ったら、まず、カラオケに行こう！

B：えー、＿＿＿＿＿＿＿＿＿＿＿＿＿＿んだから、

＿＿＿＿＿＿＿＿＿＿＿＿(よ)うよ！

（4） せっかく＿＿＿＿＿＿＿＿＿＿＿＿＿＿＿のに、うまくいかなかった。

（5） A：金曜日に山田さんとご飯を食べに行くんですが、よかったら一緒にいかがですか。

B：ちょっと金曜日は忙しくて……。

せっかく＿＿＿＿＿＿＿＿＿＿＿＿のに、すみません。

（6） A：どうしたの？ 元気ないね。

B：＿＿＿＿＿＿＿＿＿＿＿＿＿＿＿＿＿のに、＿＿＿＿＿＿＿＿＿＿てしまったんだ。

名前 ______________________

4. ～さえ [p. 109]

「～さえ」か「～さえ～ば」を使って、文や会話を完成させなさい。

1 N (prt.) さえ

(1) 日本語の勉強を始めたばかりの時は ____________ さえ ____________ なかった。

(2) 今はお金を持っていないので ______________ さえ ____________________ 。

(3) 母はパソコンが苦手で、__________________ さえ ____________________ 。

(4) A：週末はどこかに行った？

B：ずっと家にいたんだ。______________ にさえ行かなかったよ。

(5) A：風邪はよくなった？

B：うん。でも、昨日は頭が痛くて、______________ ことさえできなかったよ。

(6) A：最近、忙しそうだね。

B：うん。____ 。

2 ～さえ～ば

(1) ________________ さえ ________ ば、だれでもこのイベントに参加できます。

(2) ________________ さえ ________ ば、楽しい学生生活が送れると思う。

(3) ______________________ てさえいれば、この授業は単位がもらえるはずです。

(4) A：来週中国に行くんだけど、中国語がわからないから心配だなあ。

B：看板 (sign) は全部漢字で書かれているから、漢字さえ ______________ ば、大丈夫だよ。

(5) A：出かける準備できた？

B：もうちょっと。あと、__________ さえ __________ ば、すぐ出かけられるよ。

(6) A：明日、経済の授業のプレゼン (presentation) なんだ。緊張するなあ。

B：____________________ ば、__________________ 。がんばって。

6. ～ないで済む／～ずに済む [p. 112]

「～ないで済む」か「～ずに済む」を使って、文や会話を完成(かんせい)させなさい。

(1) 先輩(せんぱい)が家に泊めてくれたから、＿＿＿＿＿＿＿＿＿＿ないで済みました。

(2) 図書館に行けば、＿＿＿＿＿＿＿＿＿＿ずに済みます。

(3) 友達が＿＿＿＿＿＿＿＿てくれたから、＿＿＿＿＿＿＿＿ないで済みました。

(4) A：ここまでの道、わかりにくかったでしょ？

B：うん。でも、親切な人が教えてくれたから＿＿＿＿＿＿＿＿ないで済んだよ。

(5) A：ネットショッピングって本当に便利(べんり)だよね。

B：うん。＿＿＿＿＿＿＿＿＿＿ないで済むからね。

7. (Xは)Yほど～ない [p. 112]

「～ほど～ない」を使って、文や会話を完成(かんせい)させなさい。(1)～(3)は絵を見て答えなさい。

(1)

エベレスト (8848m)

富士山(ふじさん) (3776m)

(2)

北海道(ほっかいどう) −3.6℃　アラスカ −11℃

(3) 人口(じんこう) (population)

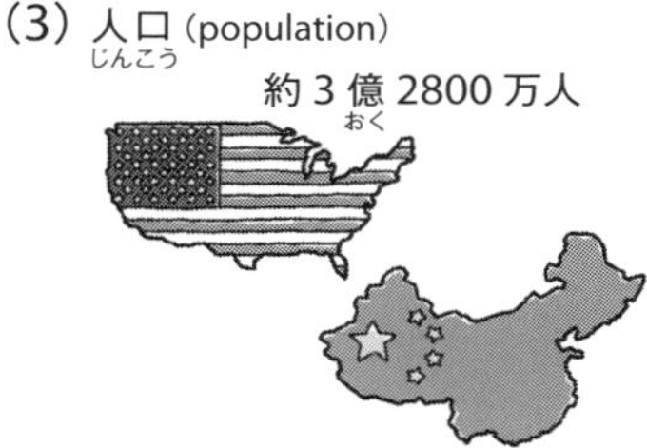

約3億(おく)2800万人

約13億9600万人

(1) 富士山(ふじさん)は＿＿＿＿＿＿＿＿＿＿ほど＿＿＿＿＿＿＿＿ない。

(2) ＿＿＿＿＿＿＿＿は、＿＿＿＿＿＿＿＿＿＿ほど＿＿＿＿＿＿＿ない。

(3) ＿＿＿＿＿＿＿＿＿＿＿＿＿＿＿＿＿＿＿＿＿＿＿＿＿＿＿＿。

(4) A：テレビで見たんだけど、日本語は英語話者(わしゃ)にとって難しい言語の一つらしいね。

B：でも、＿＿＿＿＿＿＿＿ほど＿＿＿＿＿＿＿＿ないと思うよ。

＿＿＿＿＿＿＿＿＿＿＿＿＿＿＿＿＿＿＿＿＿＿＿＿から。

(5) ＿＿＿＿＿＿＿＿は、みんなが言うほど＿＿＿＿＿＿＿＿＿＿＿＿。

(6) A：カプセルホテル (capsule hotel) に泊まったんだって？ どうだった？

B：思ったほど＿＿＿＿＿＿＿＿＿＿＿＿＿＿よ。

8. ～わけだ [p. 113]

「～わけだ」を使って、文や会話を完成(かんせい)させなさい。

(1)　A：田中(たなか)さんはベジタリアンだそうですよ。

　　B：ああ、だから ______________________________ わけですね。

(2)　A：今晩、台風が来るそうですよ。

　　B：ああ、どうりで ______________________________ わけですね。

(3)　A：ジョージと絵理(えり)ちゃん、最近けんかしたらしいよ。

　　B：どうりで、______________________________ わけだ。

(4)　A：おはよう、すごく眠(ねむ)そうだね。

　　B：うん。経済(けいざい)のレポートを書くのに、朝の７時までかかったんだ。

　　A：じゃあ、昨日(きのう)は ____________________ わけ？ 大変だったね。

(5)　日本の人口(じんこう)は2040年には約１億(おく)人になり、2065年には約9000万人になると言われている。つまり、______________________________ わけだ。

9. ～ば～のに [p. 114]

「～ば～のに」を使って、文や会話を完成(かんせい)させなさい。

(1)　A：週末、みんなでドライブに行くんだけど、一緒に行かない？

　　B：行きたいんだけど、試験の勉強をしなきゃいけないんだ。残念……。

　　____________________ ば、いいのに……。

(2)　〈店で買い物をしている〉

　　A：そのぼうし、とてもよく似合(にあ)ってるよ。

　　B：本当？ でも、２万円はちょっと……。もっと __________ ば、買 ______ のに。

(3)　A：見て、このチラシ (ad)。ボランティアをしながら船(ふね)で世界旅行ができるんだって。申し込もうかなあ。

　　B：でも、ちょっと待って！ ３カ国語以上話せないと申し込めないみたいだよ。

　　A：えっ！ ____________________ ば、____________________ のに。残念！

(4)　A：ああ、つまらないなあ。

　　B：そうだね。____________________ ば、____________________ のに。

(5)　____________________ ば、____________________ のにと思う。

B まとめの練習

1. [ ] の言葉を使って、文や会話を完成(かんせい)させなさい。必要なら形(かたち)を変えなさい。同じ言葉は一度しか使えません。

(1) A：ねえ、この問題の答え、これでいいと思う？

B：うーん、それでいい ＿＿＿＿＿＿＿＿ けど、先生に聞いたほうがいいよ。

(2) インドネシア語はまだ習い始め ＿＿＿＿＿＿＿ ので、簡単なあいさつしかできません。

(3) 地図アプリを使ったら、道に迷(まよ) ＿＿＿＿＿＿＿＿＿ だろう。

(4) A：高田(たかだ)さんはパーティーに車で来たそうだよ。

B：だから、今日はお酒を飲 ＿＿＿＿＿＿＿＿＿＿＿＿ 。

(5) 一人暮(ぐ)らしを始め ＿＿＿＿＿＿＿ 、コンビニに行くことが多くなった。

～以来	～ずに済む	～ような気がする	～たばかり	～わけ

2. [ ] から一番いい言葉を選んで、正しい形(かたち)にして書きなさい。同じ言葉は一度しか使えません。

(1) ＿＿＿＿＿＿ さえ ＿＿＿＿＿＿ ば幸せだと言う人もいる。

(2) 今度の試験はよく ＿＿＿＿＿＿ さえ ＿＿＿＿＿＿ ば、大丈夫(だいじょうぶ)だろう。

(3) 毎日いろいろな食べ物をバランスよく ＿＿＿＿＿ さえ ＿＿＿＿＿＿ ば、病気にならないだろう。

ある	いる	お金	する	食べる	復習(ふくしゅう)

3. 文や会話を完成(かんせい)させなさい。

(1) A：日本語のディスカッションでは、言いたいことがうまく伝えられないから大変…。

B：本当にそうだよね。ああ、＿＿＿＿＿＿＿＿＿＿＿＿＿＿ ばいいのに。

(2) ＿＿＿＿＿＿＿＿＿＿＿＿＿＿ ばいいのになあと思う。

＿＿＿＿＿＿＿＿＿＿＿＿＿＿＿＿＿＿＿ て困(こま)っているからだ。

(3) 大学の寮に住むと、＿＿＿＿＿＿＿＿＿＿＿＿ないで済みます。

(4) 最近は、＿＿＿＿＿＿＿＿＿＿＿＿＿＿＿さえ知らない人もいる。

(5) A：今度、友達とイタリアを旅行するんですけど、友達も私もイタリア語が上手じゃないんです。

B：＿＿＿＿＿＿＿＿さえ＿＿＿＿＿＿＿＿＿＿ば大丈夫（だいじょうぶ）ですよ。

(6) A：ヤンさんは学生の時、レストランでシェフのアルバイトをしていたそうですよ。

B：だから、＿＿＿＿＿＿＿＿＿＿＿＿＿＿＿わけですね。

(7) 先生　：Aさん、宿題を出してください。昨日（きのう）、今日は絶対出すと言いましたね。

学生A：あの、昨日は夜遅くまでずっとアルバイトをしていたので、時間がなくて……。

先生　：つまり、＿＿＿＿＿＿＿＿＿＿＿＿＿＿わけですね。

学生A：はい……。すみません。

(8) 私の国（　　　　　　）の＿＿＿＿＿＿＿＿＿＿は、みんなが
your country

＿＿＿＿＿＿＿＿＿＿ほど、＿＿＿＿＿＿＿＿＿＿＿ない。

(9) 私の国（　　　　　　）の＿＿＿＿＿＿＿は、日本の＿＿＿＿＿＿＿ほど
your country

＿＿＿＿＿＿＿＿＿＿と思う。

(10) ＿＿＿＿＿＿＿＿＿＿＿以来、よく＿＿＿＿＿＿＿＿＿ようになった。

(11) せっかく＿＿＿＿＿＿＿＿＿＿＿＿、【彼・彼女・友達】はあまり食べてくれなかった。

(12) せっかく＿＿＿＿＿＿＿＿＿ので、＿＿＿＿＿＿＿＿＿＿＿＿＿。

4. ［　　］の言葉を 3 つ以上使って、あなたが悩(なや)んでいることについて書きなさい。使った言葉に下線(かせん)を引(ひ)きなさい。

〜以来	せっかく	〜さえ〜ば	〜ずに済む
〜は〜ほど〜ない	〜わけだ	〜ば〜のに	

例　卒業後、就職するか大学院に行くか悩(なや)んでいる。山中(やまなか)先生の授業を取って以来、専門についてもっと学びたいという気持ちが強くなってきた。でも、周(まわ)りの友達はみんな就職する。いい会社に就職できさえすれば、将来のことを心配せずに済むと考えているようだ。しかし、せっかく大学で学んだのに、学んだことに関係がない仕事はしたくない。将来について決めるのは思ったほど簡単ではない。

C 口頭練習

（　　　）の表現を使って話しましょう。

(1) 高校を卒業して以来、していないことは何ですか。（〜て以来、〜ていません）

(2) 半年前と比べて、日本語が上手になったと思いますか。（〜ような気がします）

(3) 【春休み・夏休み・冬休み】の予定はありますか。
（せっかく〜から、〜（よ）うと思っています）

(4) がんばったのに、残念な結果になってしまった経験はありますか。（せっかく〜のに）

(5) 何か苦手なことがありますか。（〜が苦手です。〜さえ〜ません）

(6) どうすれば日本人の友達がもっと増やせると思いますか。（〜さえ〜ば）

(7) どんなことができれば、幸せだと感じますか。（〜さえ〜ば）

(8) 日本語を習い始めた頃、何か困ったことはありましたか。
（〜たばかりの頃、〜て困りました）

(9) 何をしておけば、面接で失敗せずに済みますか。（〜ずに済む）

(10) 日本の物価は高いと思いますか。他の国と比べてどうですか。（〜ほど〜ない）

(11) 【日本で・どこかに旅行に行って】がっかりしたことやものは何ですか。
（思ったほど〜ない）

(12) あなたの夢を教えてください。（私の夢は〜です。〜ばいいのに（なあ）と思います）

読み物1 回転ずし入門

[p. 136]

A 読み物1 ▸ ○×チェック

本文の内容と合うものに○、合わないものに×をつけなさい。

① (　　　) 人気がある回転ずしの店は、いつもたくさん人がいる。

② (　　　) 回転ずしのメニューは一年中同じだ。

③ (　　　) 回転ずしの店はメニューがないので、値段がわからない。

④ (　　　) 回転ずしの店では、お茶もベルトコンベアで運ばれてくる。

⑤ (　　　) タッチパネルで注文したすしは、お店の人が持ってきてくれる。

B 読みのストラテジー ▸ 練習

読みのストラテジー❽ (p. 141) を使って答えなさい。

❽ 順番を表す副詞(ふくし)・接続詞(せつぞくし) (Adverbs/conjunctions that express sequence)

「タッチパネルの使い方」(行 32－49) を読み、下の説明を完成させなさい。

〈タッチパネルの使い方〉

1. まず、画面の「にぎり」「巻物」「おすすめ」などのカテゴリーの中から
   ① ________________ ものを選んでタッチする。

2. 次に、② ____________________ をタッチして、③ ________________ 注文するか入力する。

3. 最後に、画面の ④ ________________________ を押す。

名前 ______________________________

C 読み物 1 ▸ 内容質問

1. 「そのイメージを変えたのが、回転ずしだ」(行 1－2) とありますが、①何が、②何のどんなイメージを変えましたか。

① ______________________ が

② ________________ の ____________________ イメージを変えました。

2. 本文によると、回転ずしの店では、どうやってすしが客のところまで運ばれますか。

______________________________ で運ばれます。

3. 「行くたびに楽しめる」(行 13) とありますが、どうしてですか。

4. 「数を入力する」(行 23) とありますが、何の数ですか。

5. 筆者(ひっしゃ)によると、席に座ったら何を準備しておくといいですか。4 つ書きなさい。

① ____________________ と ② ____________________ と

③ ____________________ と ④ ____________________ を

準備しておくといい。

6. 「そんな時」(行 33) とは、どんな時ですか。

食べたい __________ がベルトコンベアの上を __________________ 時です。

7. 「その写真」(行 43) とありますが、何の写真ですか。

____________________________ の写真です。

読み物2 肉じゃがの作り方

[p. 139]

A 読み物2 ▸ ○×チェック

本文の内容と合うものに○、合わないものに×をつけなさい。

① (　　　) 肉じゃがは日本の家庭でよく作られる料理だ。

② (　　　) 和風の味が好きな人は肉じゃがも好きだろうと筆者(ひっしゃ)は考えている。

③ (　　　) 肉じゃがは、作るのに15分しかかからない。

④ (　　　) 「だし」はお湯のことである。

⑤ (　　　) 余った肉じゃがをカレーにすることができる。

B 読みのストラテジー ▸ 練習

読みのストラテジー❽ (p. 141) を使って答えなさい。

❽ 順番を表す副詞(ふくし)・接続詞(せつぞくし) (Adverbs/conjunctions that express sequence)

「読み物2（肉じゃがの作り方）」を読み、A～Fを適当(てきとう)な順番に並(なら)べかえなさい。

A. なべを熱してから、牛肉をいためる。
B. だし、酒、砂糖(さとう)、みりんを加えて中火で煮る。
C. 野菜(やさい)を加えて軽くいためる。
D. しょうゆを加えて、弱火で煮る。
E. じゃがいも、にんじん、玉ねぎ、牛肉を切る。
F. じゃがいもがやわらかくなるまで煮る。

(　　　) → (　　　) → (　　　) → (　　　) → (　　　) → (　　　)

名前 ______________________

C 読み物2 ▸ 内容質問

1. 「肉じゃが」はどんな味ですか。何と一緒に食べるとおいしいですか。

2. 「肉じゃが」はどんな料理ですか。

「肉じゃが」は、牛肉、じゃがいも、にんじん、玉ねぎを ________ てから、だし、酒、

砂糖(さとう)、みりん、しょうゆを入れた汁で ________ 料理です。

3. 「だし」とはどんなものですか。

「だし」とは、______________________ です。

4. 粉末タイプのだしはどうやって使いますか。

______________________ て使います。

5. 和風カレーはどうやって作りますか。

文型・表現ワーク

A 基本練習

1. Question word ～ても [p. 142]

「～ても」を使って、文や会話を完成させなさい。(　　　) の言葉も使いなさい。

(1) 「子守熊」という言葉の読み方が知りたいが、(だれ) ＿＿＿＿＿＿＿＿＿＿ わからない。

(2) 黒木さんは、(どんなに) ＿＿＿＿＿＿＿＿＿＿ 太らないそうだ。

(3) (どこを) ＿＿＿＿＿＿＿＿＿＿ かぎが見つからない。

(4) 社員 A：秋山部長と来週の予定について電話で話しましたか。

社員 B：それが、(いつ) ＿＿＿＿＿＿＿＿＿＿ 電話に出ないんです。

(5) A：あの宿題の答え、わかった？

B：ううん。(いくら) ＿＿＿＿＿＿＿＿＿＿ わからなくて……。

(6) A：何かおすすめの映画がありますか。

B：私のおすすめは、「＿＿＿＿＿＿＿＿＿＿」という映画です。

(何度) ＿＿＿＿＿＿＿＿＿＿ おもしろいですよ。

2. ～たび (に) [p. 142]

「～たび(に)」を使って、文や会話を完成させなさい。

(1) 子：あっ、お父さんが出張から帰ってきた！ お帰りなさい！ おみやげは？

父：ただいま。はい、これ。いつものお菓子だよ。みんなで食べよう。

(→ 父は、＿＿＿＿＿＿＿＿＿＿ たびに、おみやげを買ってきてくれる。)

(2) 出身の町に帰るたびに、＿＿＿＿＿＿＿＿＿＿ 。

(3) 私は ＿＿＿＿＿＿＿＿＿＿ たびに、＿＿＿＿＿＿＿＿＿＿ てしまう。

(4) 研　　：ジョージ、また絵理とけんかしたそうだね？

ジョージ：うん。最近、会うたびに、＿＿＿＿＿＿＿＿＿＿ 。

(5) A：どんな時、子どもの時のことを思い出しますか。

B：＿＿＿＿＿＿＿＿＿＿ 、子どもの時のことを思い出します。

名前 ______________________

(6) A：どんな時、【落ち込みますか・うれしくなりますか】。

B：______________________________________。

3. ～はずだ [p. 143]

A.「～はずだ」を使って、文や会話を完成させなさい。

(1) フランス人のサラさんがよく行くらしいから、「オランジェ」というフレンチレストランは、______________________ はずだ。

(2) 優太(ゆうた)くんは高校の時テニス部だったらしいから、______________________。

(3) ______________________________________ から、______________________________ はずです。

(4) A：田中(たなか)さんは今日カラオケに来るかな？

B：__________________ って言っていたから、______________ はずだよ。

(5) 学生A：10時からの授業に間に合うかな？

学生B：あと10分あるから、____________ ば、______________ はず！

(6) A：どうしたの？ 元気ないね。

B：実は、__________________________ はずだったんだけど、______________________________ んだ。

B.「はず」か「べき」か、正しいほうを選びなさい。

(1) A：今、9時半か。スーパーまだ開いているかなあ。

B：あのスーパーは夜10時までだから、まだ開いている【はず・べき】だよ。

(2) 最近の子どもはあまり本を読まないが、子どものうちにいろいろな本を読む【はず・べき】だ。

(3) トムは10年も日本に住んでいるから、日本語が話せる【はず・べき】だ。

(4)「困(こま)っている人がいたら、助ける【はず・べき】だ」と父に教えられた。

(5) 明日試験があるから、今ごろみんな勉強している【はず・べき】だ。

6. （もし）〜ても [p. 146]

「〜ても」を使って、文や会話を完成させなさい。

(1) もし ______________________ ても、あきらめません。

(2) たとえ宝(たから)くじに当(あ)たっても、______________________ 。

(3) ______________ ても、______________ べきではない。

(4) A：レポート、もう終わった？ 明日の締(し)め切(き)りに間に合うかなあ……。

B：私は無理。______________________ ても、絶対間に合わない！

(5) 〈レストランで〉

夫：今日はたくさん食べたね。お金、足(た)りるかなあ……。

妻(つま)：でも、クレジットカードがあるでしょ？ この店はカードが使えるから、

もし ______________ 、カードを使えば大丈夫(だいじょうぶ)だよ。

(6) A：嫌(きら)いなものって何？

B：____________ が嫌い。たとえ ______________________ ても、

絶対 ______________________ ない！

7. 〜ように [p. 146]

A. 「ために」か「ように」か、正しいほうを選びなさい。

(1) いい成績が取れる【 ために ・ ように 】、毎日復習(ふくしゅう)している。

(2) 部屋の雰囲気(ふんいき)が明るくなる【 ために ・ ように 】、花を買った。

(3) 将来、弁護士(べんごし)になる【 ために ・ ように 】、大学で勉強しています。

(4) 日本文化を学ぶ【 ために ・ ように 】、日本に来ました。

(5) 外から鳥の鳴(な)き声(ごえ)が聞こえたので、よく聞こえる【 ために ・ ように 】、窓(まど)を開けた。

(6) 授業に遅れない【 ために ・ ように 】、母が毎朝７時に起こしてくれる。

(7) 朝、時間通りに起きられる【 ために ・ ように 】、目覚(めざ)まし時計(どけい)をセットしておいた。

(8) 朝早く起きる【 ために ・ ように 】、夜早く寝(ね)るようにしています。

B.「～ように」を使って、文や会話を完成させなさい。

(1)　目が悪いから、ホワイトボードに書いてある字がよく ＿＿＿＿＿＿ ように、前の方の席に座った。

(2)　この本は、子どもでも ＿＿＿＿＿＿ ように簡単な言葉で書いてあるから、読みやすい。

(3)　＿＿＿＿＿＿＿＿ ないように、＿＿＿＿＿＿＿＿ ほうがいい。

(4)　先生：寒くなってきたから、風邪(かぜ)を ＿＿＿＿＿＿＿＿ 気をつけてください。

学生：はい、ありがとうございます。

(5)　A：明日はジョージの誕生日(たんじょうび)だね。みんなでレストラン「カルチェ」に行かない？

B：いいね！ でも、あの店はいつも込んでいるから、すぐ ＿＿＿＿＿＿ ように

＿＿＿＿＿＿ ておこう。

(6)　A：大学生活で何か気をつけていることがありますか。

B：＿＿＿＿＿＿＿＿ ように、＿＿＿＿＿＿＿＿＿＿ 。

9. ～だけあって　[p. 148]

「～だけあって」を使って、文や会話を完成させなさい。

(1)　私の母は ＿＿＿＿＿＿＿＿ だけあって、おいしい料理が作れます。

(2)　彼は子どもの頃から ＿＿＿＿＿＿＿＿＿＿ 、さすがに上手です。

(3)　＿＿＿＿ は ＿＿＿＿＿＿＿＿ だけあって、＿＿＿＿＿＿＿＿ 。

(4)　A：彼女は ＿＿＿＿＿＿＿＿＿＿ 、やっぱり服のセンスがいいね。

B：そうだね。うらやましいな。

(5)　A：ワンさんはアニメが好きなだけあって、＿＿＿＿＿＿＿＿＿＿ よ。

B：へえ。すごいね。

(6)　A：（例 ○○の映画／本）＿＿＿＿＿＿＿＿ を【 見た・読んだ 】んだって？どうだった？

B：（例 ○○の映画／本）＿＿＿＿＿＿ は ＿＿＿＿＿＿＿＿ だけあって、

＿＿＿＿＿＿＿＿＿＿ よ。

B まとめの練習

1. [　　　] の言葉を使って、会話を完成させなさい。必要なら形(かたち)を変えなさい。同じ言葉は一度しか使えません。

(1) 森(もり)　：小川(おがわ)さん、事故(じこ) (accident) にあったそうですね。大丈夫(だいじょうぶ)ですか。

小川：ええ。心配するといけないから、みんなには言 ＿＿＿＿＿＿＿＿ ください。

(2) 娘(むすめ)：白いＴシャツと黒いＴシャツとどっちのほうがいいと思う？

母：白のほうが夏らしくていいんじゃない？

娘：じゃあ、白 ＿＿＿＿＿＿＿＿ ！

(3) A：冷蔵庫(れいぞうこ)の牛乳(ぎゅうにゅう) (milk)、全部飲んじゃったから、買 ＿＿＿＿＿＿＿＿ たよ。

B：ありがとう。

(4) A：もう 10 時か。この近くに今から入れるレストランはないよね？

B：「リオン」はどう？ ラストオーダーは 10 時半だから、

まだ開 ＿＿＿＿＿＿＿＿ だよ。

～ておく	～はず	～たびに	～にする	～ないでおく

2. 炊飯器(すいはんき) (rice cooker) の使い方を説明しています。下の a ～ f から正しいものを選んで（　　）に入れ、会話を完成させなさい。

A：炊飯器(すいはんき)の使い方を教えてくれませんか。

B：いいですよ。（　　）。（　　）。（　　）。（　　）。（　　）。

a. 20 分ぐらい待つと、ご飯ができます
b. それから、お釜(かま) (iron pod) を炊飯器に戻(もど)して (return)、ふた (lid) を閉(し)めます
c. だから、米(こめ) (rice) をいためます
d. まず、米を水で洗います
e. 最後に、炊飯器のボタンを押します
f. 次に、お釜に洗った米と米の量に合わせた水 (an appropriate amount of water) を入れます

3. 文や会話を完成させなさい。

(1) コンサートでアーティストがよく見えるように ________________ 。

(2) 先生は学生が ____________ ように ________________ 。

(3) 私は病気に __________ ように ________________ ようにしています。

(4) A：パーカーさんが日本語が話せるかどうか、知ってる？

B：うん。________________ から、__________ はずだよ。

(5) A：コンビニでコンサートチケットが買えるらしいけど、どうやって買うんだろう？

B：私もわからない……。でも、________________ ば、

________________ はずだよ。

(6) 「__________」というレストランは、____________ ____________ 。
(Question word ～ても)

(7) A：昨日(きのう)のデート、どうだった？

B：実は ________________ 、彼女は来なかったんです……。
(Question word ～ても)

(8) もし漢字テストがなくても、________________ ほうがいい。

(9) たとえ ________________ ても、友達がいなければ幸せにはなれないと思う。

(10) ________________ たびに、新しい発見がある。

(11) ________________ たびに、__________ 時のことを思い出す。

(12) A：____________ はどうだった？
(name of place)

B：____________ は、____________ と言われるだけあって、
(name of place)

________________ よ。

(13) 北村(きたむら)さんは弁護士(べんごし)だけあって、________________ 。

4. [　　　] の言葉を 3 つ以上使って、あなたが好きな飲食店について書きなさい。使った言葉に下線(かせん)を引(ひ)きなさい。

Question word ～ても	～たびに	～はずだ
(もし)～ても	～ように	～だけあって

例　私が好きな飲食店は手羽先(てばさき)で有名な「世界の山ちゃん」だ。私は山ちゃんに行くたびに手羽先を 10 本以上食べる。手羽先はアメリカのチキンウィングみたいな食べ物で、から揚(あ)げが好きな人はきっと気に入るはずだ。名古屋(なごや)で人気がある居酒屋だけあって何を注文しても安くておいしい。名古屋だけではなく、東京(とうきょう)や大阪(おおさか)にも店があるので、ぜひ行ってみてほしい。

名前

C 口頭練習

（　　　）の表現を使って話しましょう。

(1) どんなにお金や時間がかかってもやりたいことは何ですか。
(Question word 〜ても〜たいです)

(2) どんな時、遠いところにいる家族や友達に会いたくなりますか。（たびに）

(3) 今、大学の食堂は込んでいると思いますか。（〜から、はずだ）

(4) どうすれば道に迷わないで済みますか。（〜ば、〜はずです）

(5) 大事な試験の前の日は、何をしないでおいたほうがいいですか。（〜ないでおく）

(6) あなたはいいレポートを書くためにどんな準備をしますか。
（まず／次に／それから／最後に）

(7) 家族や友達に反対されても、絶対したいことは何ですか。（〜ても、〜たいです）

(8) 【 春休み ・ 夏休み ・ 冬休み 】を楽しく過ごせるように、何をしておいたほうがいいと思いますか。（〜ように）

(9) あなたの国で人気があるものについて教えてください。（人気があるだけあって）

名前

読み物1 投書文を読む

[p. 173]

A 読み物1 ▸ ○×チェック

本文の内容と合うものに○、合わないものに×をつけなさい。

① (　　　) 日本の駅では、ゴミを分けて捨てなくてもいい。

② (　　　) ジョージは、箱に入っているクッキーが一つ一つ包まれているのは過剰(かじょう)だと思っている。

③ (　　　) お菓子(かし)などの包装紙を後で使う人は多い。

④ (　　　) 雨の日、デパートはいつもと違う包装のサービスをする。

⑤ (　　　) ジョージは、日本の過剰包装は環境によくないと思っている。

B 読みのストラテジー ▸ 練習

読みのストラテジー❾ (p. 176) を使って答えなさい。

❾ 意見を述べる時の表現 (Expressions for conveying opinions)

1 確かに～。しかし～。

次の文章(ぶんしょう)を読んで、筆者(ひっしゃ)の意見の部分に下線(かせん)を引(ひ)きなさい。

　例えば、箱に入ったクッキーを買ったら、その箱が紙で包まれていただけではなく、中のクッキーも一枚ずつビニールで包装されていました。確かに一つ一つ袋に入っていれば箱から取る時に手が汚れないし、すぐに全部食べなくてもいいので便利です。しかし、ゴミは確実に増えます。(行11－20)

2 Xのではないでしょうか

次の文を読み、筆者の意見と合うものを選びなさい。

(1) 「客に対するこのような気づかいはとても日本らしいと思いますが、私のような外国人の目からみると、ちょっとやりすぎではないかと感じてしまいます。」(行28－33)

→ 筆者の意見 ――【 やりすぎだ・やりすぎではない 】

(2) 「本当に環境のことを考えるなら、日本人は過剰(かじょう)包装について考え直すべきなのではないでしょうか。」(行34－36)

→ 筆者の意見 ―― 日本人は考え直す【 べきだ・べきではない 】

C 読み物 1 ▸ 内容質問

1. 「来日してまず感じたことは」(行 3) とありますが、「感じた」の主語はだれですか。

【 a. 一般的な日本人　b. 一般的な外国人　c. 筆者(ひっしゃ) 】

2. 「きちんと分別しなければいけません」(行 8−9) とありますが、①何を、②どのように分別するのですか。

① ____________________ を

② ______________________________ と ______________________________ に分別する。

3. 「中のクッキーも」(行 14) とありますが、「中」とは何の中のことですか。

____________________ の中のことです。

4. 本文によると、クッキーの包装のいい点は何ですか。2 つ書きなさい。

① ____

② ____

5. ジョージはお店の袋のどんな点について疑問に思いましたか。

6. ジョージがこの投書文で最も伝えたいことは何ですか。

読み物 2　大学生の声

[p. 175]

A 読み物 2 ▸ ○×チェック

本文の内容と合うものに○、合わないものに×をつけなさい。

① (　　　) 青山さんは、子どものうちに外国語の発音を学んだほうがいいと考えている。

② (　　　) 青山さんによると、大人は子どもほど失敗を恐れない。

③ (　　　) 木村さんは、英語の勉強は日本語が十分にできるようになってから始めるべきだと考えている。

④ (　　　) 木村さんによると、英語に興味を持って英語を習い始める子どもが多い。

⑤ (　　　) 木村さんは、大人になってから英語の勉強を始めても上達させることはできると考えている。

B 読みのストラテジー ▸ 練習

読みのストラテジー⑩ (p. 177) を使って答えなさい。

⑩ 列挙の表現 (Expressions for enumeration)

早期英語教育について、青山さんと木村さんはそれぞれどのような主張をしていますか。【 賛成・反対 】のどちらかに○をつけなさい。また、その理由 (1)～(6) に適当な言葉を入れなさい。

・青山さん……早期英語教育に【 賛成 ・ 反対 】だ。

(1) ________________ はある ____________ を超えると難しくなる。

(2) 子どもは英語に対する ______________ を持たない。

(3) ________________ を早く身につけることができる。

・木村さん……早期英語教育に【 賛成 ・ 反対 】だ。

(4) 日本語の ____________ に悪い影響がある。

(5) 自分の ____________ で英語を学んでいる子どもは少ない。

(6) 日本では ________________ で英語が ____________ というわけではない。

名前 ______________________

C 読み物2 ▸ 内容質問

1. 「言語を学ぶ年齢と習得には深い関係がある」(行12) とありますが、それはどういう意味ですか。

2. 「その気持ち」(行23－24) とはどんな気持ちですか。

3. 青山(あおやま)さんによると、小学生のうちに英語を勉強すれば、将来、国際的に活躍できる可能性が広がるのはどうしてですか。

4. 「待つべき」(行42) とありますが、何をいつまで「待つ」のですか。①②のa～cの中から1つずつ選びなさい。

① { a. 母語である日本語の発達に影響する / b. 英語を学ぶ / c. 自分の考えや感情が日本語で論理的に伝えられるようになる } のを

② { a. 母語である日本語の発達に影響する / b. 英語を学ぶ / c. 自分の考えや感情が日本語で論理的に伝えられるようになる } まで待つ。

5. 「その経験からいうと」(行46) とありますが、どんな経験ですか。

____

______________________________ 経験

6. 木村(きむら)さんが「先輩」の例 (行53－56) で言いたいことは何ですか。最も適当(てきとう)なものを選びなさい。

a. 日本では英語が毎日必要だというわけではないということ。
b. 英語が本当に必要になった時に勉強を始めても遅くはないということ。
c. 子どもの時に英語を学んでも、使わなければ自然に忘れてしまうということ。

文型・表現ワーク

ぶんけい

A 基本練習

きほん

1. ～（という）わけではない [p. 178]

「～（という）わけではない」を使って、文や会話を完成させなさい。

（1） 最近、親と話していませんが、＿＿＿＿＿＿＿＿＿＿ わけではありません。

（2） 昨日（きのう）の試験は時間がかかりましたが、＿＿＿＿＿＿＿＿＿＿ ではありません。

（3） 私は ＿＿＿＿＿＿＿＿＿＿ が、＿＿＿＿＿＿＿＿＿＿＿＿ 。

（4） A：元気がないですね。気分が悪かったら、早く帰ったほうがいいですよ。

B：＿＿＿＿＿＿＿＿＿＿ わけではないんですが、ちょっと疲れていて……。

（5） A：今日は単語テストがないから、授業をサボろうかな。

B：テストがないからといって、＿＿＿＿＿＿＿＿＿＿ というわけではないよ。

（6） A：よく ＿＿＿＿＿＿＿＿＿＿＿＿ ますか。

B：あまり ＿＿＿＿＿＿＿ 。＿＿＿＿＿＿＿ わけではないんですが……。

3. ～（の）ではない（だろう）か [p. 180]

「～（の）ではない（だろう）か」を使って、文や会話を完成させなさい。

（1） 人間にとって一番必要なものは ＿＿＿＿＿＿＿＿＿ んじゃないでしょうか。

（2） 高校生は ＿＿＿＿＿＿＿＿＿＿＿＿ 【 べきな ・ べきではない 】の
ではないでしょうか。

（3） A：友達の両親の家に遊びに行く時、何か持っていったほうがいいかな？

B：＿＿＿＿＿＿＿＿＿＿＿＿＿＿＿＿ んじゃない？

（4） A：大学生に宿題は必要だと思いますか。

B：【 はい ・ いいえ 】。＿＿＿＿＿＿＿＿＿＿＿＿＿＿ から、

＿＿＿＿＿＿＿＿＿＿＿＿ のではないでしょうか。

(5) A：留学生も敬語を勉強すべきだと思いますか。

B：【 はい・いいえ 】。＿＿＿＿＿＿＿＿＿＿＿＿＿＿＿＿＿＿＿＿から、

＿＿＿＿＿＿＿＿＿＿＿＿＿＿＿と思います。

(6) A：将来、コンピューターでとてもいい翻訳(ほんやく)ができるようになっても、外国語を勉強すべきだと思いますか。

B：【 はい・いいえ 】。＿＿＿＿＿＿＿＿＿＿＿＿＿＿＿＿＿＿＿＿から、

＿＿＿＿＿＿＿＿＿＿＿＿＿＿＿＿＿＿＿＿＿＿＿＿＿。

4. ～がる [p. 181]

「～がる」を使って、文や会話を完成させなさい。

(1) 妹が犬のぬいぐるみを＿＿＿＿＿＿がっているので、誕生日(たんじょうび)に買ってあげるつもりだ。

(2) 最近の子どもは＿＿＿＿＿＿＿＿＿＿＿＿＿＿がりません。

(3) ルームメートが＿＿＿＿＿＿＿＿＿＿＿＿＿＿ていたので、

＿＿＿＿＿＿＿＿＿＿＿＿＿てあげた。

(4) マイク　　　：明日国に帰ります。いろいろお世話になりました。
ありがとうございました。舞(まい)ちゃんにもよろしくお伝えください。

ホストマザー：マイクがいなくなると、さびしくなるなあ。

舞も＿＿＿＿＿＿＿＿がっていたよ。

(5) エマ：今日は久しぶりに絵理(えり)に会えてよかったよ。

絵理：私も。研(けん)もエマに＿＿＿＿＿＿＿＿＿ていたんだけど、風邪(かぜ)をひいちゃったらしくて……。

(6) A：子どもの時、ご両親があなたにさせたがっていたことはありますか。

B：両親は＿＿＿＿＿＿＿＿＿＿＿＿＿＿＿＿がっていましたが、
私は嫌(いや)だったのでしませんでした。

5. ～(よ)うとする／しない [p. 182]

「～(よ)うとする／しない」を使って、文や会話を完成させなさい。

1 ～(よ)うとする

(1) ＿＿＿＿＿＿＿＿ うとした時、スマホがないことに気がついた。

(2) いつも遅刻(ちこく)するので、今朝は早く ＿＿＿＿＿＿＿＿ が、

＿＿＿＿＿＿＿＿ なかった。

(3) A：ジョージって、ご両親と仲が悪いの？

B：仲が悪いわけじゃないと思うけど……。でも、彼、＿＿＿＿＿＿＿＿ と
しているけど、ご両親に反対されているそうだよ。

(4) A：しようとしても、なかなかできないことはありますか。

B：はい。＿＿＿＿＿＿＿＿。

2 ～(よ)うとしない

(1) うちの子どもは歯(は)をみがくのが嫌いで、なかなか ＿＿＿＿＿＿＿＿。

(2) ルームメートは ＿＿＿＿＿＿ が嫌いなので、絶対に ＿＿＿＿＿＿＿＿。

(3) サラ　　：どうして絵理(えり)はジョージに怒っているの？

ジョージ：わからない。絵理は理由を ＿＿＿＿＿＿＿＿ んだ。

(4) A：どんな人と一緒に住みたくないですか。

B：＿＿＿＿＿＿＿＿ としない人と一緒に ＿＿＿＿＿＿＿＿。

6. ～まま [p. 183]

「～まま」を使って、文や会話を完成させなさい。(1)～(4) は絵を見て答えなさい。

(1)

(2)

(3)

(4)

(1) 急いでいたので、＿＿＿＿＿＿＿＿ まま、出かけてしまいました。

(2) ポケットの中に ＿＿＿＿＿＿＿＿＿＿＿＿＿＿ 、洗濯（せんたく）してしまいました。

(3) 酔（よ）っぱらっていたので、＿＿＿＿＿＿＿＿＿ まま、＿＿＿＿＿＿＿ てしまった。

(4) 席がなかったので、＿＿＿＿＿＿＿＿＿＿＿＿＿＿＿＿＿＿＿＿＿＿ 。

(5) A：昨日（きのう）は疲れていたので、＿＿＿＿＿＿＿＿＿＿ まま ＿＿＿＿＿＿＿＿＿＿ てしまったんです。

B：それ、私もよくやります。

(6) A：20 年ぶりに田中（たなか）さんに会ったそうですね。田中さんは元気でしたか。

B：はい。＿＿＿＿＿＿＿＿＿＿＿＿ ままで驚きました。

(7) A：このままではだめだと思うことは何ですか。

B：＿＿＿＿＿＿＿＿＿＿＿＿＿＿＿＿ は、このままではよくないと思います。

7. ～ように言う [p. 184]

A. 会話を読んで、その内容を説明する文を完成させなさい。（　　）には助詞（じょし）を入れなさい。

(1) 私　：迎（むか）えに行くから、駅に着いたら、電話してね。
サラ：うん。ありがとう。

→ 私はサラ（　　）駅に着いたら ＿＿＿＿＿＿＿＿ ように言 ＿＿＿＿＿＿ 。

(2) 私　：先生、作文を直してくださいませんか。
先生：いいですよ。

→ 私は先生（　　）作文を ＿＿＿＿＿＿＿＿＿ ようにお願い ＿＿＿＿＿＿ 。

(3) 先生：宿題を忘れないでください。
私　：すみません。

→ 私は先生（　　）宿題を ＿＿＿＿＿＿＿ ように注意 ＿＿＿＿＿＿＿＿ 。

(4) 田中（たなか）：ちょっと英語を教えてくれない？
私　：いいよ。

→ 私は田中さん（　　）英語を ＿＿＿＿＿＿ ように頼 ＿＿＿＿＿＿＿＿ 。

B.「～ように言う」などを使って、文や会話を完成させなさい。

（1） 高校生の頃、よく家族に ____________________ ように言われました。

（2）【 ホストファミリー ・ 先生 】によく ____________________ ように注意されます。

（3） A： 来学期日本に留学する友達に何かアドバイスがありますか。

B： ____________________ ように言いたいですね。

（4） A： 病気の時、【 友達 ・ 家族 】にどんなことを頼みますか。

B：【 友達 ・ 家族 】に ____________________ ように頼みます。

（5） A： 先生にどんなお願いをしたいですか。

B： ____________________ ようにお願いしたいです。

8. ～ほど [p. 185]

「～ほど」を使って、文や会話を完成させなさい。

（1） 昨日(きのう)、好きなバンドのコンサートに行きましたが、人がたくさん来ていて、

____________________ ほどでした。

（2） ____________________ ほどお金がない。

（3） A： ああ、おいしかった。たくさん食べちゃった。

B： 私も。食べすぎて、____________________ ほどだよ。

（4） A： 富士(ふじ)登山はどうでしたか。

B： ____________________ ほど、疲れました。

（5） A： 涙(なみだ)が出るほどうれしかったことは何ですか。

B： ____________________ 時は、____________________ ほど

____________________ 。

B まとめの練習

1. [ ] の言葉を使って、文を完成させなさい。必要なら形(かたち)を変えなさい。同じ言葉は一度しか使えません。

(1) 目上の人に、いすに座 ＿＿＿＿＿＿ あいさつするのは、失礼だ。

(2) 期末試験のことを考えると、心配で夜も寝(ね)られない ＿＿＿＿＿＿ 。

(3) 授業を休んだら、友達が今日の宿題を ＿＿＿＿＿＿ 家まで持ってきてくれた。

(4) 誕生日(たんじょうび)プレゼントとして、彼が読みた ＿＿＿＿＿＿ 本をあげました。

(5) この状況(じょうきょう) ＿＿＿＿＿＿ 、今日も帰りが遅くなりそうだ。

わざわざ　～からすると　～まま　～がる　～ほど

2. 「わざわざ」か「せっかく」のどちらかを入れ、文や会話を完成させなさい。

(1) A：今日は楽しかったです。ありがとうございました。

B：こちらこそ、＿＿＿＿＿＿ 来てくださってありがとうございました。

(2) 山田(やまだ)：このお菓子(かし)、おいしいんですよ。どうぞ遠慮(えんりょ)なさらないで、召(め)し上(あ)がってください。

客　：それでは、＿＿＿＿＿＿ なので、一ついただきます。

(3) 田中(たなか)さんはお好(この)み焼(や)きを食べに ＿＿＿＿＿＿ 広島(ひろしま)まで行ったそうだ。本当にグルメな人 (lovers of good food) だ。

(4) A：ごめん！ 借りてた本を家に忘れてきちゃった。今から取りに帰るね。

B：＿＿＿＿＿＿ 取りに帰らなくても、明日でいいよ。

(5) ＿＿＿＿＿＿ の休みだったのに、台風でどこにも行けませんでした。

名前＿＿＿＿＿＿＿＿＿＿＿＿＿＿＿＿＿＿＿＿

3. 文や会話を完成させなさい。

（1） 病院に行ったら、医者に＿＿＿＿＿＿＿＿＿＿＿＿ように注意された。

（2） 日本に来る時、【両親・友達】に＿＿＿＿＿＿＿＿＿＿＿＿ように頼まれた。

（3） ＿＿＿＿＿＿に＿＿＿＿＿＿＿＿＿＿＿＿＿＿ようにお願いしたが、「嫌(いや)だ」と言われてしまった。

（4） ＿＿＿＿＿＿人だからといって、みんなが＿＿＿＿＿＿＿＿＿＿わけではない。

（5） これからずっと日本に住むわけではないので、＿＿＿＿＿＿＿＿＿＿＿＿＿＿んじゃないかと思う。

（6） A：どうしたんですか。今日は全然お酒を飲んでいませんね。

B：ええ。＿＿＿＿＿＿＿＿＿＿わけではないんですが、今日はちょっと……。

（7） A：今朝の授業、30分ぐらい遅刻(ちこく)してきたよね。どうしたの。

B：実は＿＿＿＿＿＿＿＿としたに、＿＿＿＿＿＿＿＿＿＿＿＿て……。

（8） ＿＿＿＿＿＿は＿＿＿＿＿が苦手なので、＿＿＿＿＿＿＿＿＿としない。

（9） A：今度の休みに旅行したいんだけど、北海道(ほっかいどう)と沖縄(おきなわ)とどっちがいいと思う？

B：＿＿＿＿＿＿＿＿＿＿＿＿から、＿＿＿＿＿＿＿＿＿＿＿んじゃない？

（10） 日本語を上達させるために大切なことは、＿＿＿＿＿＿＿＿＿＿＿＿＿＿んじゃないでしょうか。

（11） 昨日(きのう)、＿＿＿＿＿＿＿＿＿＿＿＿まま寝(ね)たので、風邪(かぜ)をひいてしまった。

（12） ＿＿＿＿＿＿＿＿＿＿＿＿まま出かけるのは、あぶない。

（13） 昨日は＿＿＿＿＿＿＿＿＿＿＿＿＿ほど疲れていました。

（14） 漢字を練習しすぎて＿＿＿＿＿＿＿＿＿＿＿＿＿ほどです。

（15） A：田中(たなか)さんは山田(やまだ)部長が苦手なんだって。

B：そんなに＿＿＿＿＿＿＿＿＿がらなくてもいいと思うんだけどなあ。

4. [　　] の言葉を3つ以上使って、「家族やルームメートに文句（もんく）を言いたいこと」について書きなさい。使った言葉に下線（かせん）を引（ひ）きなさい。

～わけではない	～(の)ではない(だろう)か	～がる
～(よ)うとする／しない	～まま　～ように注意する	～ほど

例　ルームメートはいつも、使った皿を洗（あら）わず、シンクに置いたまま出かける。そして、帰ってきてもすぐに洗おうとしない。だから、ルームメートに皿を洗うように注意したいが、実際はなかなか難しい。ルームメートのことが怖（こわ）いわけではないが、けんかになるのではないかと思うと、言えなくなってしまうからだ。自分ではできないので、寮母（りょうぼ）さんが注意してくれたらいいのにと思っている。

C 口頭練習

（　　　）の表現を使って話しましょう。

（1） 毎日忙しそうですね。ゆっくりする時間さえないのではないですか。
（～わけではない）

（2） 日本では普通のことでも、外国人からすると変だと感じることは何ですか。
（～からすると）

（3） あなたの国で今一番問題になっていることは何ですか。（～（の）ではないかと思う）

（4） あなたの友達がしたがっていることを教えてください。（～がる）

（5） 今、何かしようとしていることはありますか。それは、今年のうちにできそうですか。
（～（よ）うとする）

（6） どんな人と一緒に旅行したくないですか。（～（よ）うとしない人とは～たくない）

（7） 何か失敗してしまった経験がありますか。（～まま、～てしまった）

（8） 子どもの頃、ご両親にどんなことを言われましたか。（～ように言う）

（9） 最近、だれかに何か頼んだことを教えてください。（～ように頼む）

（10） 1 年で一番忙しいのはいつですか。どのくらい忙しいですか。（～ほど）

（11） 日本やあなたの国の習慣で、「わざわざしなくてもいい」と思うものがありますか。
（わざわざ）

ブラッシュアップ

名前

初級文法チェック ① ワーク

書き言葉の文体 Styles in written Japanese

[p. 206]

1. 次の表を完成 (to complete) させなさい。

です・ます体	だ体	である体
本です	①	②
本ではありません	③	
きれいでした	④	⑤
きれいではありませんでした	⑥	
かわいいです	⑦	
かわいくありません	⑧	
かわいかったです	⑨	
かわいくありませんでした	⑩	
留学します	⑪	

2. 次の表現を「だ・である体」に変えなさい。

(1) 説明したいです →

(2) 必要なのです →

(3) 書いてみましょう →

(4) これでいいのでしょうか →

(5) 宿題ではありません →

名前 ______________________

3. 下線(かせん) (underline) の部分を書き言葉 (written language) に変えなさい。

(1) おもしろいって 言ってた。 → おもしろい ________ ________________。

(2) すごく きれいだった。 → ________________ きれいだった。

(3) ちょっと 高い。 → ________________ 高い。

(4) 話してみたけど、怖(こわ)い人じゃなかった。

→ 話してみた ________、怖い人 ________________。

(5) 疲(つか)れちゃった。 → 疲れ ________________。

(6) 本を見といた。 → 本を ________________。

(7) 飲んじゃった。 → ________________。

(8) 読んどいたほうがいい。 → ________________________。

(9) 来てください。 → ________________。

4. 次の文章(ぶんしょう)を「だ・である体」に変えなさい。また、話し言葉(ことば)を書き言葉にしなさい。

私が留学している大学は、東京(とうきょう)にあります。キャンパスはちょっと小さいですけど、
例 ある

新しくてきれいです。特におすすめの場所は食堂です。食堂のご飯は安くておいしいし、

開いてない時間は勉強もできるので、すごく便利(べんり)です。でも、お昼ご飯の時間はとっても

込(こ)んでてテーブルがなくなっちゃうので、注文する前にテーブルを取(と)っといたほうが

いいです。一番人気があるメニューはカレーです。もし辛(から)いものが嫌(きら)いじゃなかったら、

ぜひ食べてみてください。

名前 ＿＿＿＿＿＿＿＿＿＿＿＿＿＿＿＿＿＿＿＿

そうだ／らしい／ようだ／みたいだ

[p. 208]

1. 「そうだ」「らしい」「ようだ」のどれかを使って、文を完成（かんせい）させなさい。

(1) 昨日（きのう）デパートでおいし ＿＿＿＿＿＿＿＿ ケーキを見つけたが、高かったので買わなかった。

(2) 長崎（ながさき）はカステラが有名だ ＿＿＿＿＿＿＿＿ 。

(3) 日本では電車でマンガを読んでいる学生や会社員をよく見る。

日本人は子どもだけじゃなく大人もマンガをよく読む ＿＿＿＿＿＿＿＿ 。

(4) 今は 10 月（＝秋）ですが、毎日とても暑（あつ）くて、夏 ＿＿＿＿＿＿＿＿ 天気です。

(5) 今は 8 月（＝夏）です。毎日とても暑くて、夏 ＿＿＿＿＿＿＿＿ 天気です。

(6) A：最近、疲（つか）れている ＿＿＿＿＿＿＿＿ ね。元気がないし、顔色も悪いし……。大丈夫（だいじょうぶ）？

B：うん。バイトが忙（いそが）しくて……。

(7) 私の 5 歳の弟は、子ども ＿＿＿＿＿＿＿＿ です。毎日、外で元気に遊（あそ）んでいます。

(8) 私の 5 歳の弟はいつも勉強していて、あまり子ども ＿＿＿＿＿＿＿＿ ない。

(9) 兄は今年で 30 歳だが、すぐ怒ったり泣（な）いたりして、子ども ＿＿＿＿＿＿＿＿ 。

(10) メイリンは日本語がペラペラで日本人 ＿＿＿＿＿＿＿＿ 日本語を話します。

(11) 金沢（かなざわ）は、古い建物（たてもの）がたくさんあって京都（きょうと） ＿＿＿＿＿＿＿＿ 町です。

名前 ______________________________

2. 文を完成させなさい。

（1）（友達が一生懸命勉強している）

→ 明日、______________________________ ようだ。

（2）（日本語の教科書を持っている人がいる）

→ あの人は ______________________________ ようだ。

（3）（先生は毎日コーヒーを飲んでいる）

→ 先生は ______________________________ ようだ。

（4）（みんなかさを持っている）

→ 今日は ______________________________ みたいだ。

（5）（あのレストランはいつも込んでいる）

→ あのレストランは ______________________ みたいだ。

（6）うわさによると、______________________________ らしい。

（7）先輩から聞いたが、______________________________ そうだ。

（8）__________ によると、______________________________ 。

3. 正しいものを選びなさい。

今学期、「日本の経済」の授業を取ろうと思った。教室に行ったら、①【 a. 学生そうな b. 学生だそうな c. 学生らしい d. 学生みたいな 】若い先生が入ってきた。とても②【 a. やさしそうな b. やさしいそうな c. やさしいらしい d. やさしいみたいな 】先生だった。しかし、去年取っていた先輩によると、この授業はたくさんレポートを ③【 a. 書かされそうだ b. 書かされるそうだ c. 書かされたみたいだ 】。やっぱり取るのをやめたほうが ④【 a. いいそうだ b. よさそうだ c. いいらしい 】と思った。

名前 ______________________

初級文法チェック③ワーク

敬語(けいご) Polite style

[p. 212]

1. 下線(かせん)の部分を敬語(けいご)に直(なお)しなさい。

(1) 先生からコンサートのチケットをもらった。 (　　　　)

(2) 学生：先生はどんな音楽を聞きますか。 (　　　　)

(3) 学生：先生、作文の宿題をメールで送ってもいいですか。 (　　　　)

(4) 先生は、明日試験があると言っていました。 (　　　　)

(5) 学生：先生、心配しないでください。 (　　　　)

(6) 部長にいつどこでゴルフ大会があるか聞いた。 (　　　　)

2. 下線(かせん)の部分を敬語(けいご)に直(なお)しなさい。

(1) 〈お客(きゃく)さんが家に遊(あそ)びに来ている〉

客　　：これ、おみやげです。食べてください。 (　　　　)

あなた：ありがとうございます。みんなで食べます。 (　　　　)

(2) 学生：今朝、ニュースを見ましたか。 (　　　　)

先生：ええ、見ましたよ。台風が来るそうですね。

(3) 部下：A社の山本(やまもと)部長を知っていますか。 (　　　　)

部長：ええ。一度、会ったことがありますよ。 (　　　　)

(4) 〈ウェルカムパーティーで先生が紹介(しょうかい)された後〉

スミス：あの、中級(ちゅうきゅう)クラスの先生ですか。 (　　　　)

先生　：はい、そうですが。

スミス：今度中級クラスに入るスミスと言います。 (　　　　)

イギリスから来ました。 (　　　　)

ロンドン大学で勉強しています。 (　　　　)

(5) 〈お別れパーティーで〉

スミス：先生、お世話になりました。

いつかロンドンに来てください。 (　　　　)

私が案内します。 (　　　　)

名前 ______________________

3. 敬語を使うところに下線を引いて、適当な表現に直しなさい。

(1) 学生：先生、冬休みに何をしますか。

先生：両親に会いに行くつもりです。スミスさんは？

学生：私は京都に行くつもりです。

(2) 客　：すみません。昨日買ったシャツのボタンが一つなかったんですが……。

店員：申し訳ありません。そのシャツを見てもいいですか。

あ、ここのボタンですね。大変申し訳ありません。

客　：あの、新しいのと交換してもらえますか。

店員：はい、ここで少し待ってください。

(3) 店員：待たせました。次の人、こっちのレジへどうぞ。

〈客がレジの前に来る〉

店員：いらっしゃいませ。ポイントカードは持っていますか。

客　：はい。

店員：ありがとうございます。カードを返します。1,500円です。

(4) 〈同じ会社の人たちの会話〉

部下：部長。来週の出張は、どこに行きますか。

部長：東京に行く予定だよ。

(5) 〈違う会社の人たちの会話〉※田中部長はB社の部長

A社の人：田中部長はいますか。

B社の人：すみません。田中は、会議に出ています。

名前

初級文法チェック④ワーク

あげる／くれる／もらう

[p. 216]

1. 正しいものを選(えら)びなさい。

(1) (私は) 父の誕生日(たんじょうび)に父が好きなワインを【 a. あげた　b. くれた　c. もらった 】。

(2) 母は (私の) 誕生日にセーターを【 a. あげた　b. くれた　c. もらった 】。

(3) これは (私の) 誕生日に母に【 a. あげた　b. くれた　c. もらった 】セーターです。

(4) ルームメートは (私の) 宿題を手伝(てつだ)って【 a. あげた　b. くれた　c. もらった 】。

(5) (私は) 先生に留学のための推薦状(すいせんじょう)を書いて【 a. さしあげました　b. くださいました　c. いただきました 】。

2. 正しいものを選(えら)びなさい。

(1) サラがバレンタインデーについて話している。

「私の国では、バレンタインデーに、彼や彼女がいる人はその人にプレゼントを①【 a. あげたり　b. くれたり　c. もらったり 】、その人からプレゼントを②【 a. あげたり　b. くれたり　c. もらったり 】する。しかし、日本ではバレンタインデーに女の人が男の人にチョコレートを ③【 a. あげる　b. くれる　c. もらう 】のが一般的(いっぱんてき)だそうだ。女の人はお世話になったお礼(れい)に会社の男性(だんせい)の上司(じょうし) (boss) にチョコレートを ④【 a. あげる　b. くれる　c. もらう 】こともあると聞いた。私は山中(やまなか)先生に大変お世話になったので、先生にチョコレートを ⑤【 a. さしあげよう　b. くださろう　c. いただこう 】と思っている。

最近では、男の友達(ともだち)だけではなく、女の友達にもチョコレートを ⑥【 a. あげる　b. くれる　c. もらう 】「友(とも)チョコ」も人気があるそうだ。私も去年絵理(えり)に抹茶(まっちゃ)チョコを ⑦【 a. あげた　b. くれた　c. もらった 】。私が抹茶が好きなので、絵理が作って ⑧【 a. あげた　b. くれた　c. もらった 】のだ。バレンタインが近くなると、デパートにたくさんの種類(しゅるい)のチョコレートが売られていて楽しい。今年のバレンタインには友達に ⑨【 a. あげる　b. くれる　c. もらう 】チョコレートを買いに、デパートに行ってみようと思う。

(2) 13歳のけんたくんが去年の誕生日（たんじょうび）について話している。

「去年の誕生日は悲しかった。だれにもプレゼントを ①【 a. あげ　b. くれ　c. もらわ 】なかったからだ。お母さんはぼくにケーキを焼（や）いて ②【 a. あげる　b. くれる　c. もらう 】と言っていたのに、忘れてしまった。お父さんに野球（やきゅう）の試合（しあい）に連れていって ③【 a. あげよう　b. くれよう　c. もらおう 】と思っていたのに、雨が降（ふ）って行けなかった。今年の誕生日はだれかが何かを ④【 a. あげたら　b. くれたら　c. もらったら 】いいんだけど……。」

3. (1)～(4) の状況（じょうきょう）(situation) を「～てあげる／くれる／もらう」を使って説明（せつめい）しなさい。＿＿の動詞（どうし）を使いなさい。

(1) 暇（ひま）そうだったので、ホストファミリーの子どもを公園（こうえん）に連れていった。

➞ ホストファミリーの子ども ＿＿＿＿＿＿＿＿＿＿＿＿＿＿＿＿ 。

(2) 私の自転車がこわれた。私が困（こま）っているのを見て、ホストファミリーのお父さんが自転車を直（なお）した。

➞ ホストファミリーのお父さんが私 ＿＿＿＿＿＿＿＿＿＿＿＿＿＿＿＿ 。

(3) お母さんが料理している時、家にたまごがなかった。お母さんが困っているのを見たので、私はスーパーにたまごを買いに行った。

➞ 私 ＿＿＿ お母さん ＿＿＿＿＿＿＿＿＿＿＿＿＿＿＿＿ 。

(4) ホストファミリーのお母さんに「朝早く起こしてください」とお願（ねが）いした。
次の日、お母さんは私を朝６時に起こした。

➞ お母さんに ＿＿＿＿＿＿＿＿＿＿＿＿＿＿＿＿ 。

名前 ____________________

初級文法チェック⑤ワーク

受身形(うけみけい)／使役形(しえきけい)／使役受身形(しえきうけみけい) Passive/Causative/Causative-passive [p. 220]

1. 受身形(うけみけい)か「～てもらう」を使って文を作りなさい。

(1) 私が寝(ね)ている間に、母が彼からのメッセージを読みました。

→ 寝ている間に、____________________。

(2) 昨日(きのう)学校から帰る時、急に雨が降(ふ)って大変でした。

→ 昨日学校から帰る時、急に ____________ て、大変でした。

(3) 私は漢字が読めませんでした。友達(ともだち)が私に読み方を教えました。

→ 漢字が読めなかった時、友達に読み方を ____________________。

(4) 宮崎駿(みやざきはやお)が「となりのトトロ」という映画を作りました。

→ ____________________________________。

2. ①～てもらう、②受身形(うけみけい)、③使役形(しえきけい)、④使役形＋てあげる／くれる／もらう、⑤使役受身形(しえきうけみけい)のどの形(かたち)を使うか[　　]に番号を書き、文を完成(かんせい)させなさい。

(1) 母：部屋がめちゃくちゃじゃない！ 片(かた)づけなさい！
私：はーい……。

→ [　　] 母に部屋を片づけ ____________ た。

(2) 私　：日本に留学したいんだけど……。
両親：まだ高校生だから、ダメ！

→ [　　] 両親は留学 ____________ た。

(3) 私　　　　　：ゴミ箱(ばこ)がいっぱいになっちゃった。ゴミを出してきてくれない？
ルームメート：いいよ。

→ [　　] ルームメートにお願(ねが)いしてゴミを出 ____________ た。

(4) 友達(ともだち)：この車かっこいいね。ちょっと運転してみてもいい？
私　：ちょっとだけなら、いいよ。

→ [　　] 友達に車を運転 ____________ た。

(5)　私：自分が使った皿は自分で洗いなさい。
　　弟：はい……。

→［　　　］弟に皿を洗＿＿＿＿＿＿＿＿＿＿た。

(6)　私：あれ、ここに置いておいた私のお菓子がない！
　　母：ごめん、さっき食べちゃった……。

→［　　　］母にお菓子を食＿＿＿＿＿＿＿＿＿＿た。

3. 一番よいものを選びなさい。

(1)　子どもの時、私はバイオリンが習いたかったが、母は ①【 a. 習わせなかった　b. 習ってくれなかった　c. 習わせてくれなかった 】。母に「子どもは運動をしたほうがいい」と ②【 a. 言ってくれて　b. 言われて　c. 言わされて 】、サッカー教室に ③【 a. 連れていかれた　b. 連れていかされた　c. 連れていってもらった 】。私は運動が好きじゃなかったので、本当に嫌だった。

(2)　私が一番好きな料理は、父がよく作って ①【 a. 食べさせた　b. 食べさせてくれた　c. 食べさせられた 】カレーだ。父に作り方を ②【 a. 教えてもらった　b. 教えさせてもらった　c. 教えさせられた 】ので、将来自分の子どもにも ③【 a. 食べさせられたい　b. 食べさせてあげたい　c. 食べてあげたい 】。

4. （　　　）の動詞を適当な形に変えなさい。

①

②③④

⑤

「ある日のできごと」

僕は冗談 (joke) を言ってみんなを ①（笑う →　　　　　　）のが大好きだ。ところがある日、授業中に冗談を言っていたら、先生に「静かにしなさい！」と ②（怒る →　　　　　　）て、みんなに ③（笑う →　　　　　　）てしまった。そして、授業中は静かにすることを先生に ④（約束する →　　　　　　）た。僕が落ち込んでいたら、友達がおもしろい顔をして、僕を ⑤（笑う →　　　　　　）た。友達がいてくれて本当によかった。

名前

初級文法チェック⑥ワーク

条件文 Conditional sentences ～たら／～と／～ば／～なら

[p. 224]

1. 正しいものを選びなさい。

(1) 時間が【あったら・あると】ぜひ見てください。

(2) 家に【帰ったら・帰れば】、母から手紙が来ていた。

(3) 電車の中で音楽を【聞いたら・聞けば・聞くなら】、イヤホンを使ってください。

(4) 自分の国へ【帰ったら・帰ると・帰れば】、仕事を探すつもりです。

(5) ここを【押すと・押すなら】、電気がつきます。

(6) 【暗いと・暗ければ】、電気をつけましょうか。

(7) 風邪を【ひいたら・ひくと・ひけば】、薬を飲んだほうがいい。

(8) 田中さんが【来ると・来るなら】、もう一枚ピザを注文しましょう。

(9) A：あっ、牛乳がなくなった！

B：【なくなるなら・なくなったなら・なくなれば】買ってきてくれない？

(10) 沖縄へ【行ったら・行くと・行けば】、海で泳ぎたいです。

(11) A：来週、絵理の誕生日なんだけど、プレゼントは何がいいと思う？

B：前にスカーフがほしいって言っていたから、スカーフを【あげたら・あげれば・あげるなら】どう？

(12) A：来週、ピアノの発表会があるんです。

B：【うまくいくと・うまくいくなら】いいですね。

(13) A：期末試験が心配なんです。

B：ちゃんと復習【すると・すれば】、大丈夫ですよ。

名前 ____________________

2. （　　　）の動詞（どうし）と「たら」「と」「ば」「なら」の中の適当（てきとう）なものを使って、文を作りなさい。
（答えが２つ以上ある場合（ばあい）もあります。）

(1)　A：何時に迎（むか）えに行きましょうか。

　　B：まだ何時に着くかわからないので、空港に（着く →　　　　　　　　　　）電話します。

(2)　毎日ゲームを（する →　　　　　　　　　　）目が悪くなりますよ。

(3)　A：京都（きょうと）に行くバスは何時か知っていますか。

　　B：さあ。でもインターネットで（調べる →　　　　　　　　　　）簡単（かんたん）にわかりますよ。

(4)　〈料理で〉　３分（たつ →　　　　　　　　　　）火を止めてください。

(5)　A：九州（きゅうしゅう）に行きたいんですが、どうやって行ったらいいでしょうか。

　　B：九州へ（行く →　　　　　　　　　　）新幹線（しんかんせん）がいいですよ。

(6)　その本、捨（す）てるんですか。（捨（す）てる →　　　　　　　　　　）私にください。

(7)　A：もうすぐ春ですね。

　　B：ええ。暖（あたた）かく（なる →　　　　　　　　　　）ピクニックをしましょう。

(8)　A：天気がいいですね。ご飯を食べ（終わる →　　　　　　　　　　）散歩（さんぽ）に行きませんか。

　　B：いいですね。じゃあ、急いで食べます。

(9)　サラ：私、そろそろ帰るね。

　　絵理（えり）：サラが（帰る →　　　　　　　　　　）私も一緒（いっしょ）に帰ろうかな。

(10)　窓（まど）を（開ける →　　　　　　　　　　）雪が降（ふ）っていた。

名前

初級文法チェック⑦ワーク

助詞(じょし)「は」と「が」 Particles は and が

[p. 227]

1. （　　　）に「は」か「が」の適当(てきとう)なほうを入れなさい。

（1） A：キムさん（　　　）どこにいますか。

B：キムさん（　　　）あそこにいます。

（2） A：週末、ご飯を食べに行きませんか。どこ（　　　）いいですか。

B：そうですね。先月行ったレストラン（　　　）いいです。

（3） A：駅の前に新しいレストラン（　　　）できましたね。

B：そうですね。あのレストラン（　　　）何料理のレストランですか。

（4） 田中(たなか)：山本(やまもと)さん（　　　）テニス（　　　）好きだそうですね。
テニス部に入っているんですか。

山本：いえ。入っていないんです。テニスを見るの（　　　）好きなんですが、
するの（　　　）苦手で……。

（5） A：青山(あおやま)さん（　　　）作ったケーキはおいしいですね。

B：えっ！ このケーキ、青山さん（　　　）作ったんですか。

（6） 文法について質問（　　　）あったので、先生のオフィスアワーに聞きに行った。

（7） A：あ、あそこに子犬（　　　）いますよ。

B：本当だ。子犬（　　　）かわいいですね。

（8） 英語（　　　）少しできますが、フランス語（　　　）全然(ぜんぜん)わかりません。

（9） A：来週、試験（　　　）あるのを知っていますか。

B：えっ！ 知りませんでした。その試験（　　　）何の試験ですか。

（10） A：さっき、山本さんから電話（　　　）ありましたよ。

B：そうですか。山本さん（　　　）何と言っていましたか。

（11） 私の妹（　　　）目（　　　）大きくて、とてもかわいいんです。

（12） 私（　　　）最近気に入っているもの（　　　）このペンです。

名前 ＿＿＿＿＿＿＿＿＿＿＿＿＿＿＿＿

(13)　母（　　　）私（　　　）病気になると、いつもスープを作ってくれます。

(14)　明日、友達（　　　）家に遊びに来るので、友達（　　　）好きなお菓子を買っておこうと思います。

(15)　私（　　　）初めて飛行機に乗ったの（　　　）小学生の時です。

2. 下の「となりのトトロ」のストーリーを読んで、（　　　）に「は」か「が」の適当なほうを入れなさい。

「となりのトトロ」

「となりのトトロ」という映画（①　　　）小学生のサツキと４歳のメイという姉妹と森のおばけ、トトロの物語だ。その映画（②　　　）サツキとメイ（③　　　）お父さんと都会から田舎に引っ越すシーンから始まる。二人には病気のお母さんがいて、お母さんのために空気（④　　　）きれいな田舎に住むことになったのだ。

引っ越してから数日後、メイは庭で小さいトトロ（⑤　　　）歩いているのを見つける。あれ（⑥　　　）何だろうと思ったメイは小さいトトロの後ろを歩いていく。そこには大きな木（⑦　　　）あって、大きいトトロ（⑧　　　）寝ていた。メイの話を聞いてサツキもトトロに会いたがる。

ある日の夕方、雨（⑨　　　）急に降り始めたので、二人はかさを持っていないお父さんのために、バス停までかさを持って迎えに行く。二人（⑩　　　）バス停で待っていると、トトロ（⑪　　　）来て、一緒にバスを待ち始める。お父さん（⑫　　　）乗っているバス（⑬　　　）来る前に、トトロ（⑭　　　）ねこのバスに乗って、どこかに行ってしまう……。

〈続きは映画で見てね！〉

名前

漢字チャレンジ① ワーク

形(かたち)が似(に)ている漢字 Kanji with similar shapes

[p. 230]

1. ＿＿＿の単語を正(ただ)しい漢字を使って書(か)き直(なお)し、(　　　)に読み方を書きなさい。

例 上曜日にカラオケに行った。 → 土曜日 (どようび)

(1) 教室に人ってください。 → ＿＿＿ (　　　)

(2) 毎日、運働しています。 → ＿＿＿ (　　　)

(3) 牛前中は毎日授業があります。 → ＿＿＿ (　　　)

(4) 来週の月曜日は体みです。 → ＿＿＿ (　　　)

(5) 週末、員い物に行きたいです。 → ＿＿＿ (　　　)

(6) 明日、宿題を待ってきてください。 → ＿＿＿ (　　　)

(7) 家旅に手紙を書きました。 → ＿＿＿ (　　　)

(8) ジブリの映画を金部見てみたい。 → ＿＿＿ (　　　)

(9) 漢字の練習(れんしゅう)を読けましょう。 → ＿＿＿ (　　　)

(10) 木当のことを教えてください。 → ＿＿＿ (　　　)

2. チャレンジ！ 正(ただ)しいほうを選びなさい。

(1) ろうじん 【a. 考人　b. 老人】　(2) け 【a. 手　b. 毛】

(3) ほす 【a. 干す　b. 千す】　(4) こおり 【a. 氷　b. 水】

名前 ______________________

漢字チャレンジ② ワーク

音符(おんぷ) Phonetic indicators

[p. 231]

1. (1)～(4) の音符(おんぷ)が使われている単語を [ ] から選(えら)んで____に書き、下に読み方を書きなさい。

~~五人~~	~~日本語~~	簡単	会社	生活
受験	一週間	性格	教授	絵画

例 五　　五人 (ごにん)　　日本語 (にほんご)

(1) 生　　______ (　　)　　______ (　　)

(2) 間　　______ (　　)　　______ (　　)

(3) 受　　______ (　　)　　______ (　　)

(4) 会　　______ (　　)　　______ (　　)

2. チャレンジ! A と B の____には同じ音符(おんぷ)を持った漢字が入ります。下の [ ] から漢字を選(えら)んで____に書きなさい。

性／姓	紅／工	帳／長
紹／招	校／郊	凍／東

(1) A. 学____ (がっこう)　B. ____外 (こうがい)

(2) A. 女____ (じょせい)　B. ____名 (せいめい)

(3) A. ____京 (とうきょう)　B. ____結 (とうけつ)

(4) A. 部____ (ぶちょう)　B. 手____ (てちょう)

(5) A. ____介 (しょうかい)　B. ____待 (しょうたい)

(6) A. ____学 (こうがく)　B. ____葉 (こうよう)

名前

漢字チャレンジ③ ワーク

部首（ぶしゅ）「にんべん（亻）・ひとやね（𠆢）」

[p. 232]

1. 「にんべん（亻）・ひとやね（𠆢）」の漢字を使って、単語とその読み方を書きなさい。

漢字	単語		漢字	単語	
例 作	作る つくる	作文	③ 金		
① 例			④ 食		
② 体		体調	⑤ 会		

2. ＿＿＿に漢字を書きなさい。必要な時は送りがなも書きなさい。

(1) ＿＿＿（やすまないで）、毎日＿＿＿（はたらいて）いると病気になりますよ。

(2) ＿＿＿（いま）、＿＿＿（すんで）いる町は＿＿＿（あんぜん）だと＿＿＿（しんじて）います。

(3) コンピュータを＿＿＿（つかって）する＿＿＿（しごと）を＿＿＿（しょうかい）してもらった。

(4) 学生＿＿＿（じだい）は、DVDをよく＿＿＿（かりて）見ていた。

3. チャレンジ！ ①〜⑤の読み方を右に書きなさい。

(1) 1000万の①十倍は②一億です。

(2) 先生に③バス停までの道を④伺った。

(3) ⑤健康に気をつけてください。

① (　　　　)

② (　　　　)

③ (　　　　)

④ (　　　　)

⑤ (　　　　)

名前

漢字チャレンジ④ワーク

部首（ぶしゅ）「きへん（木）・き（木）」

[p. 233]

1. 「きへん（木）・き（木）」の漢字を使って、単語とその読み方を書きなさい。

漢字	単語		漢字	単語	
① 本			④ 業		
② 校			⑤ 相		
③ 楽			⑥ 格		合格

2. ＿＿に漢字を書きなさい。必要な時は送りがなも書きなさい。

(1) 田中＿＿（さま）をエレベーターの＿＿（よこ）のお部屋にご＿＿（あんない）した。

(2) アンケートの＿＿（けっか）について、レポートを五＿＿（まい）書いた。

(3) ＿＿（もくひょう）を持ったほうが、＿＿（たのしい）学生生活が送れると思う。

3. チャレンジ！ ①～⑤の読み方を右に書きなさい。

(1) ①森に木を②植えた。

① (　　　)

② (　　　)

(2) ③林さんに④柔道を教えてもらった。

③ (　　　)

④ (　　　)

(3) 毎朝、コーヒーを⑤一杯飲みます。

⑤ (　　　)

名前

漢字チャレンジ⑤ワーク

接頭辞（せっとうじ） Prefixes

[p. 234]

1. (1)～(5)の漢字の後ろに［　　］の漢字を1つ付けて単語を作り、＿＿に書きなさい。また、(　　)に読み方を書きなさい。同じ漢字は一度しか使えません。

~~年~~	部	習	高	人
週	額	約	品	初

(1) 毎～　＿毎年＿（まいとし）　＿＿＿＿（　　　）

(2) 新～　＿＿＿＿（　　　）　＿＿＿＿（　　　）

(3) 最～　＿＿＿＿（　　　）　＿＿＿＿（　　　）

(4) 全～　＿＿＿＿（　　　）　＿＿＿＿（　　　）

(5) 予～　＿＿＿＿（　　　）　＿＿＿＿（　　　）

2. チャレンジ！ AとBの両方に入る漢字を［　　］から1つ選んで＿＿に書きなさい。また、(　　)に読み方を書きなさい。

好	不	未	無	再	予

(1) A. ＿＿職（　　　）　B. ＿＿糖（　　　）

(2) A. ＿＿調（　　　）　B. ＿＿印象（　　　）

(3) A. ＿＿会（　　　）　B. ＿＿検査（　　　）

(4) A. ＿＿都合（　　　）　B. ＿＿平等（　　　）

(5) A. ＿＿婚（　　　）　B. ＿＿熟（　　　）

名前 ____________________

漢字チャレンジ⑥ワーク

接尾辞（せつびじ） Suffixes

[p. 235]

1. (1)～(6) の漢字の前に［　　］のどれかを付（つ）けて単語を作り、＿＿に書きなさい。また、(　　) に読み方を書きなさい。同じものは一度しか使えません。

~~映画~~	本	医	授業	駅	記
芸術	図書	給	国際	店	花

(1) ～館　　映画館（えいがかん）　　＿＿＿＿（　　）

(2) ～屋　　＿＿＿＿（　　）　　＿＿＿＿（　　）

(3) ～料　　＿＿＿＿（　　）　　＿＿＿＿（　　）

(4) ～員　　＿＿＿＿（　　）　　＿＿＿＿（　　）

(5) ～者　　＿＿＿＿（　　）　　＿＿＿＿（　　）

(6) ～的　　＿＿＿＿（　　）　　＿＿＿＿（　　）

2. チャレンジ！ AとBの両方に入る漢字を［　　］から1つ選んで＿＿に書きなさい。また、(　　) に読み方を書きなさい。

場	者	家	書	化

(1) A. 辞＿＿（　　）
B. 教科＿＿（　　）

(2) A. 国際＿＿（　　）
B. 書籍＿＿（　　）

(3) A. 発表＿＿（　　）
B. 筆＿＿（　　）

(4) A. 運動＿＿（　　）
B. 駐車＿＿（　　）

名前 ______________________

漢字チャレンジ⑦ワーク

部首「くちへん（口）・くち（口）」

[p. 236]

1. 「くちへん（口）・くち（口）」の漢字を使って、単語とその読み方を書きなさい。

漢字	単語		漢字	単語	
① 口			④ 名		
② 問			⑤ 和		
③ 味			⑥ 員		

2. ＿＿に漢字を書きなさい。必要な時は送りがなも書きなさい。

(1) ＿＿（たいふう）が来ているので、強い風が＿＿（ふいて）いる。

(2) ＿＿（おなじ）国から来た人と＿＿（しりあって）、友達になった。

(3) ＿＿（でぐち）は＿＿（みぎ）側（がわ）です。

(4) この＿＿（さくひん）は＿＿（ふるい）ですが、人気があります。

3. チャレンジ！ ①～⑤の読み方を右に書きなさい。

(1) 「好きだ！」と①叫んで②告白した。

① (　　　　)

② (　　　　)

(2) この③喫茶店のケーキにはお酒が④含まれています。

③ (　　　　)

④ (　　　　)

(3) ⑤命の大切さについて考えた。

⑤ (　　　　)

名前

漢字チャレンジ⑧ワーク

部首（ぶしゅ）「ひへん（⽇）・ひ（日）」

[p. 237]

1. 「ひへん（⽇）・ひ（日）」の漢字を使って、単語とその読み方を書きなさい。

漢字	単語		漢字	単語	
① 書			④ 時		
② 早			⑤ 明		
③ 曜			⑥ 晩		

2. ＿＿に漢字を書きなさい。必要な時は送りがなも書きなさい。

（1） 休み＿＿＿（じかん）に＿＿＿（ひるごはん）を食べながら＿＿＿（えいが）を見た。

（2） ＿＿＿（むかし）は電車や飛行機（ひこうき）でタバコが吸（す）えるのが＿＿＿（ふつう）だったそうだ。

（3） 私の出身の町は、夏は＿＿＿（あつい）ので、＿＿＿（はる）に来るのがおすすめです。

3. チャレンジ！ ①～⑤の読み方を右に書きなさい。

（1） 朝は①曇っていたが、午後から②晴れた。

① （　　　　　　）

② （　　　　　　）

（2） ③暖かい日より寒（さむ）い日のほうが④星がよく見える。

③ （　　　　　　）

④ （　　　　　　）

（3） 空港でドルを円に⑤両替した。

⑤ （　　　　　　）

名前 ______________________________

漢字チャレンジ⑨ワーク

反対語（はんたいご） Antonyms

[p. 238]

1. （　　）に読み方を、＿＿＿には漢字と送りがなを書きなさい。

(1) 古い ↔ ＿＿＿＿＿＿
（　　　　）　あたらしい

(2) 長い ↔ ＿＿＿＿＿＿
（　　　　）　みじかい

(3) 強い ↔ ＿＿＿＿＿＿
（　　　　）　よわい

(4) 早い ↔ ＿＿＿＿＿＿
（　　　　）　おそい

(5) 重い ↔ ＿＿＿＿＿＿
（　　　　）　かるい

(6) 冷たい ↔ ＿＿＿＿＿＿
（　　　　）　あつい

(7) 難しい ↔ ＿＿＿＿＿＿
（　　　　）　かんたんな

(8) 多い ↔ ＿＿＿＿＿＿
（　　　　）　すくない

(9) 出る ↔ ＿＿＿＿＿＿
（　　　　）　はいる

(10) 買う ↔ ＿＿＿＿＿＿
（　　　　）　うる

(11) 借りる ↔ ＿＿＿＿＿＿
（　　　　）　かす

(12) 立つ ↔ ＿＿＿＿＿＿
（　　　　）　すわる

2. チャレンジ！　［　　］の漢字を＿＿＿に入れて反対語（はんたいご）のペアを作り、（　　）に読み方を書きなさい。

結	冷	離	増
具	減	抽	暖

(1) ＿＿房 ↔ ＿＿房　（　　　↔　　　）

(2) ＿＿婚 ↔ ＿＿婚　（　　　↔　　　）

(3) ＿＿体的 ↔ ＿＿象的　（　　　↔　　　）

(4) ＿＿る ↔ ＿＿える　（　　　↔　　　）

名前 ______________________

漢字チャレンジ⑩ ワーク

同音異義語(どうおんいぎご) Homonyms

[p. 239]

1. 単語の意味に気をつけて、_____に漢字を書きなさい。必要な時は送りがなも書きなさい。

(1) A. 手紙を送ったら、返事が ____________ きました。
かえって

B. ルームメートは毎晩(まいばん)遅く ____________ きます。
かえって

(2) A. たくさん練習(れんしゅう)して ________ がつきました。
じしん

B. 自分 ________ について考えてみた。
じしん

(3) A. 最近 ____________ なりました。もうすぐ春ですね。
あたたかく

B. ____________ 飲み物を飲んだ。
あたたかい

(4) A. _____ に住んでいます。
りょう

B. _____ が多くて、全部食べられなかった。
りょう

(5) A. ８月はとても ________ です。
あつい

B. この温泉(おんせん)はお湯(ゆ)がとても ________ 。
あつい

2. チャレンジ！ 正しいほうを選びなさい。

(1) たくさん写真を【a. 撮った　b. 取った】。

(2) 教会で【a. 成果　b. 聖歌】を歌う。

(3) 人の物をぬすむのは、やってはいけない【a. 行為　b. 好意】だ。

(4) 【a. 皮　b. 革】のかばんを買うことにした。

(5) 鳥の【a. 泣き　b. 鳴き】声が聞こえる。

名前

漢字チャレンジ⑪ワーク

部首「しんにょう(辶)」

ぶ しゅ

[p. 240]

1. 「しんにょう(辶)」の漢字を使って、単語とその読み方を書きなさい。

漢字	単語		漢字	単語	
① 道			④ 運		
② 返			⑤ 遅		
③ 通			⑥ 込		

2. ＿＿に漢字を書きなさい。必要な時は送りがなも書きなさい。

(1) ＿＿(しゅうまつ)は、家族と＿＿(ちかく)の山で＿＿(すごす)つもりです。

(2) ＿＿(とおく)に住んでいる＿＿(ともだち)にメールを＿＿(おくった)。

(3) 子どもを＿＿(つれて)いる時は、広い＿＿(みち)を＿＿(とおり)ます。

(4) いつもと＿＿(ちがう)料理を＿＿(えらんで)、注文した。

3. チャレンジ! ①〜⑤の読み方を右に書きなさい。

(1) ①逃げるどろぼうを②追った。

(2) 秋学期の③途中で④退学した。

(3) 説明として⑤適当なものはどれですか。

① (　　　　)

② (　　　　)

③ (　　　　)

④ (　　　　)

⑤ (　　　　)

名前

漢字チャレンジ⑫ワーク

部首（ぶしゅ）「ごんべん（言）」

[p. 241]

1. 「ごんべん（言）」の漢字を使って、単語とその読み方を書きなさい。

漢字	単語		漢字	単語	
① 調			④ 訳		
② 話			⑤ 読		
③ 談			⑥ 訪		

2. ＿＿＿に漢字を書きなさい。必要な時は送りがなも書きなさい。

(1) 国際交流（こくさいこうりゅう）＿＿＿（か）がやっている＿＿＿（こうえん）会に＿＿＿（さそわれた）。

(2) ＿＿＿（にほんご）で＿＿＿（にっき）を書いています。

(3) 自分の気持ちを＿＿＿（せつめい）するのは難（むずか）しい。

(4) ＿＿＿（しけん）の後に旅行に行く＿＿＿（けいかく）を立てた。

3. チャレンジ！ ①～⑤の読み方を右に書きなさい。

(1) ①歌詞の意味を②誤解していた。

① (　　　　)

② (　　　　)

(2) ③訓練でも失敗は④許されない。

③ (　　　　)

④ (　　　　)

(3) さいふをなくして⑤警察に行った。

⑤ (　　　　)